特集 時にミステリアスなのも魅力!? とにかくかわいい「猫小説」

JN124070

※「闇の絵本」は休載いたします。

月刊文庫 **文蔵** 2024.3 目次

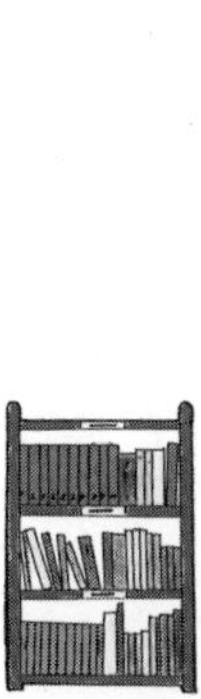

表紙デザイン・菅野はるな／本文デザイン・小林美代子

突然甘えてきたり、ふいに気まぐれになったり、
人間から見るとミステリアスな存在である猫は、
小説の世界でも人間たちと関わり合いながら
自由自在に活躍している。
ここでは、国内・国外問わず幅広く、
古典と名作から、そっと心に寄り添う感動小説、
さらにはミステリー＆ノワール小説まで、
愛すべき「猫」が出てくる作品を紹介。
猫の魅力をたっぷり味わえる、
極上の小説をどうぞ。

特集

時にミステリアスなのも魅力!?

とにかくかわいい「猫小説」

CONTENTS

インタビュー

石田 祥

標野 凪

ブックガイド

古典から感動作、ミステリーまで

猫と人間の不思議な関係を描く物語

——瀧井朝世

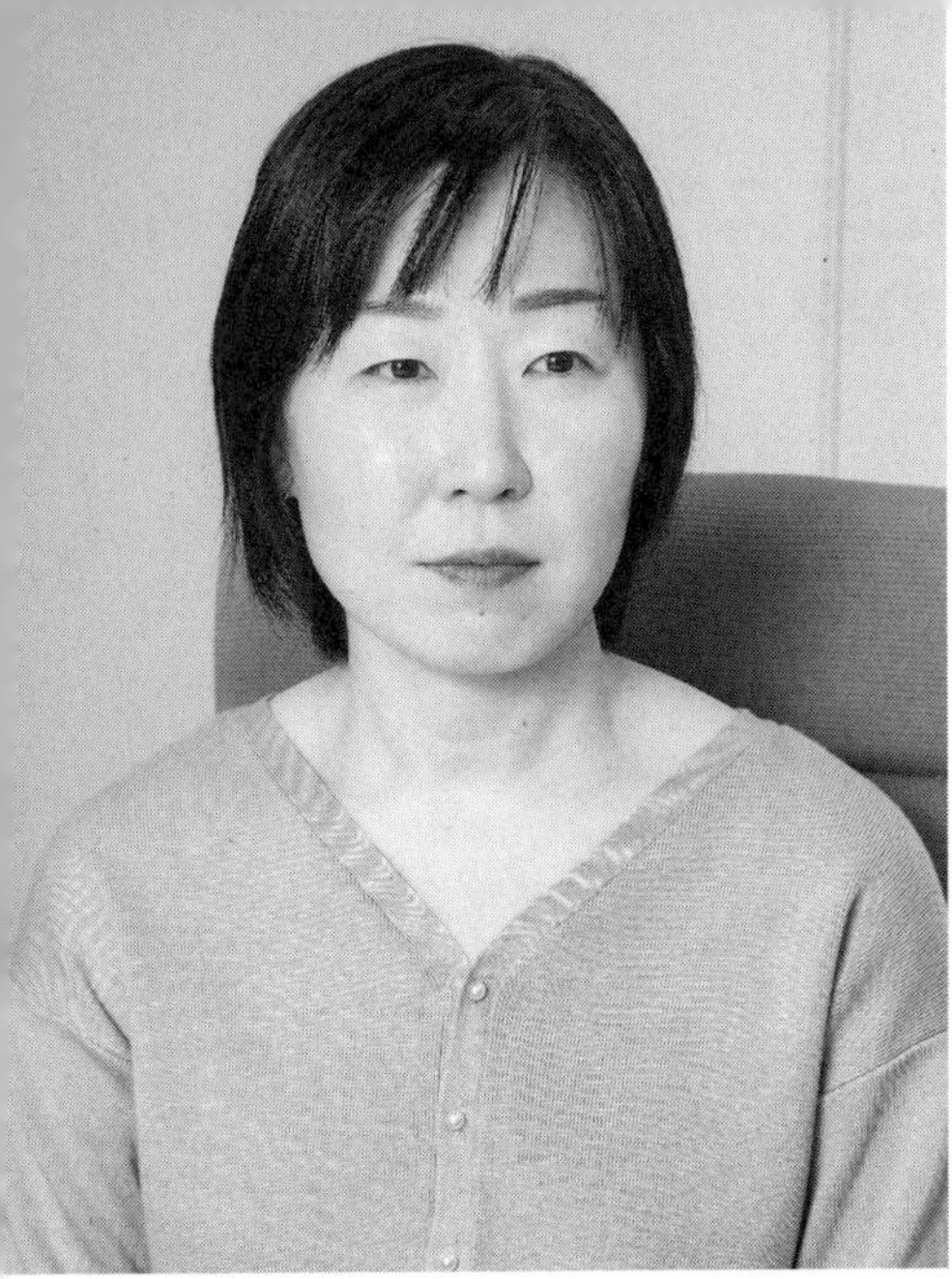

リアルに書けば書くほど可愛くなる生き物です

取材・文＝末國善己　写真＝後藤鐵郎

Interview

石田 祥

PROFILE

Ishida Syou

1975年、京都府生まれ。高校卒業後、金融会社に入社し、のちに通信会社勤務の傍ら執筆活動を始める。2014年、第9回日本ラブストーリー大賞へ応募した『トマトの先生』が大賞を受賞し、デビュー。2023年、『猫を処方いたします。』が第十一回京都本大賞を受賞する。他の著書に『元カレの猫を、預かりまして。』や「ドッグカフェ・ワンノアール」シリーズなど。

『猫を処方いたします。』が第十一回京都本大賞を受賞した石田《いしだ》祥《しょう》さん。京都の薄暗い路地裏にあり、「薬の代わりに本物の猫を処方する」という一風変わったクリニックと、そこを訪れる患者たちを描いた同作品は、登場する猫たちの愛らしさも魅力の一つだ。作品で活躍する「猫」についての思いや、執筆の背景についてお話を伺った。

一番好きな動物は……

——石田さんはこれまで『ドッグカフェ・ワンノアール』や『夜は不思議などうぶつえん』など動物を題材にした小説を発表されていますが、『猫を処方いたします。』『元カレの猫を、預かりまして。』のように、とりわけ猫をテーマにした作品が印象深いです。やはり猫に特別な思い入れがあるのでしょうか。

石田　実は一番好きな動物は鳥なんです。読者の方にも、書店の方にも「猫がお好きなんですよね?」と訊かれますが、今まで猫を飼ったこともなければ、触ったこともあまりないくらいで……。ただ、小説を書く上で、猫は動作をイメージしやすく、魅力的で面白いなと思うことが多くて、結果的にたくさん取り上げていたように思います。

――『猫を処方いたします。』は、猫を処方する「中京《なかぎよう》こころのびょういん」が舞台ですが、このアイディアはどのように思い付いたのですか。

石田　小説のアイディアを考えていたら、まず『猫を処方いたします。』というタイトルが思い浮かびました。タイトルから猫をお薬のように出す病院、心を病んだ人たちが処方された猫に癒されるといった設定が出てきました。

――ニケ先生と看護師の千歳《ちとせ》さんだけの「中京こころのびょういん」は、京都市中京区麩屋《ふや》町《ちよう》通《どおり》上《あが》ル六角《ろつかく》通《どおり》西入《にしい》ル……という複雑な住所の場所にあり、訪ねようとする患者が迷うという設定になっています。これは京都らしさを優先したのですか、それともファンタジー色を強調されたのですか。

石田　不思議なことが起こってもおかしくない、ジブリの『千と千尋の神隠し』のような場所として京都を舞台に選びました。私は京都出身ですが、中京区のように路地が入り組んでいる場所は、住んでいる人でも通りを一本間違えると自分のいる場所が分からなくなるんです。長い住所も呪文みたいで面白いですよね。

――第一巻にはパワハラ、職場の人間関係、小学校のクラスの派閥《はばつ》抗争《こうそう》、二巻には恋愛、引きこもり、家族関係などの悩みが出てきますが、最初に考えるのは登場人物の悩みですか、それとも処方される猫ですか。

石田　最初に登場人物の年齢や性別などのバックボーンを作って、そこからありそうな悩みを考えています。猫の方は設定を早いうちから固めずに、自由にさせておきます（笑）。猫は登場すれば各人の悩みに効くような動きを勝手にしますし、主人公たちも自然に猫に癒《いや》されていく気がしています。

一匹一匹に個性がある

――猫の生態がリアルに描かれていますが、取材はされているのですか。

石田　取材はしていなくて、基本はネットや書籍の情報と、SNSなどにアップされている動画を参考にしています。それらを観て、猫の面白い動きや可愛さを描写しています。

――昔、私も猫を飼っていたのですが、高いところに上って降りられなくなったことがあったので、カーテンレールの上に登った猫が降りられなくなるエピソードは懐かしかったです。

石田　今は猫を飼っている方が、色々なエピソードをネットなどに書いていらっしゃいますよね。猫は意外と高いところから降りられないとか、カーテンレールの上が好きとか。あのエピソードもそこから着想を得ました。

――猫を飼っていないほうが、書き

やすいというのはありますか。

石田　動物を飼うと依存してしまうタイプなので、いま私が猫を飼うと会社を辞め、小説も書かなくなるかもしれません(笑)。猫は特に依存性が高そうなので、仕事を辞めてからでないと無理ですね……。対岸で可愛いと思って見ているからいいところもあるので、猫を飼ったら逆にこだわって書けなくなるかもしれないですね。

――猫の動画は本当に多いので、資料には困らないのではないですか。

石田　いつもネットで検索しているので、猫の動画が自動でおすすめされるようになりました(笑)。この前、猫が背中を丸めて四つんばいで飛びはねる「やんのかステップ」というのを教えてもらったのですが、あれは「やんのかステップ」で検索しないと出てこないんです。猫好きにしか分からないワードはぜひ教えて欲しいです。

――登場する猫は、ベンガルから保護猫まで幅広いですが、それぞれの個性を出すのは難しくないですか。

石田　同じ種類の猫でも性格がバラバラですし、今のところ自由に書けていて苦労はないですね。たとえばアメリカンショートヘアは一般的にやんちゃな子が多いとされますが、やんちゃでないアメショーがいても不自然ではありません。猫と言えば気まぐれで、あまり人に懐かないのでは、という先入観がありましたが、調べてみると、一匹一匹、とても個性的なのだと知りました。

可愛いだけではない、保護猫の実情

——作中の猫たちはとても可愛らしいですが、猫の可愛らしさを意識して演出しようとしていますか、それとも自然と可愛くなるのですか。

石田　物語はファンタジーですが、猫の描写はファンタジーにしないようにしています。猫は生き物として自然に動かしているので、リアルに書けば書くほど、可愛くなっているのかもしれません。

——一巻は職場や学校など家の外の悩みが中心でしたが、二巻は家庭内の問題がメインになっていました。これは意図的に差をつけたのですか。

石田　そうですね。悩みと主人公にバリエーションを持たせたくて、シチュエーションを変え、一巻と変化を付けるのは意識しました。

——一巻は一話完結でしたが、二巻では友弥《ともや》と玲於奈《れおな》の兄妹が各話を超えて活躍するので長編としても楽しめました。これも一巻とは変化を付けるためだったのでしょうか。

石田　変化というよりも、第四話で友弥の話を書きたかったので、その前ふりとして玲於奈のエピソードを出した感じです。

――二巻は猫の可愛らしさだけでなく、猫を飼う難しさも強調されているように感じました。

石田　二巻は保護猫センターの話がメインになっているので、人間の都合で飼育放棄され、保護されるに至った猫たちの実態を伝えたいという思いはありました。ただ、大変なだけでなく、それを乗り越えるくらいの可愛いらしさ、愛しさもあるということも書きたいと思っていました。

――親に連れられて保護猫センターに来た男の子が、傷を負っている保護猫達を見て泣き出してしまったものの、センターを再訪するエピソードも、胸に迫りました。

石田　現実の保護猫センターはもっと苛酷かもしれません。かといって、あまり重くなりすぎても全体の雰囲気にそぐわないので、男の子を軸に、保護猫を取り巻く現状を伝えようとしました。

――「中京こころのびょういん」と同じビルで磁気ネックレスを売っているおじさんがいて、ニケ先生を訪ねてくる人と言葉を交わしていますが、このおじさんがいい味を出していますね。

石田　あのおじさんは読者の方の反響も大きく、作者としては意外でした（笑）。反響があったので、サブメインのような立ち位置になりました。

――「猫を処方いたします。」の今後についても教えてください。

石田　現在は三巻を書いていて、順調に行けば夏頃の刊行になります。

――なかなか現れない「予約の患者」が物語を牽引《けんいん》していますが、「予約の患者」の謎はどのようになるのでしょうか。

石田　「予約の患者さん」は、一巻は千歳さん、二巻はニケ先生のモヤモヤを晴らしてくれる人でした。三巻では、二巻の最後に登場した「予約の患者」を絡めて、ニケ先生と千歳さん、両方の心を楽にしてくれる人をもう一人書きたいと思います。三巻も引き続き、明るくて自由な猫たちと悩みのある患者さんの交流は描いていきますので、猫好きの方はぜひ手に取ってください。

『猫を処方いたします。』
PHP文芸文庫
定価：924円

『猫を処方いたします。2』
PHP文芸文庫
定価：902円

＊定価は税10％です。

© 松山勇樹

「伝言猫」は私にとってリアルな物語です

取材・文＝内田　剛

Interview

標野　凪

PROFILE

Shimeno Nagi

静岡県浜松市生まれ。2018年「第１回おいしい文学賞」にて最終候補となり、2019年に『終電前のちょいごはん　薬院文月のみかづきレシピ』でデビュー。他の作品に『終電前のちょいごはん　薬院文月のみちくさレシピ』、『占い日本茶カフェ「迷い猫」』、『今宵も喫茶ドードーのキッチンで。』『伝言猫がカフェにいます』『本のない、絵本屋クッタラ　おいしいスープ、置いてます。』『こんな日は喫茶ドードーで雨宿り。』がある。

現役カフェ店主でありながら「喫茶ドードー」「伝言猫」シリーズなど注目作品を次々に発表し、心あたたまる作風で一躍人気作家のひとりとなった標野凪《しめのなぎ》さん。なぜ標野さんの作品は読み手の心を捉《とら》えて離さないのか。最新作『伝言猫が雪の山荘にいます』を中心に、物語の魅力や創作の裏側、そして「猫」にまつわる思いなどを聞いた。

ずっと心に残っていた出来事を小説に

――『伝言猫がカフェにいます』の第二弾『伝言猫が雪の山荘にいます』が発売即重版と絶好調ですね。猫の描写がとても細やかで、愛情が溢《あふ》れんばかりに伝わってきます。標野さんと猫とのかかわりをお聞かせください。

標野　いま、家で猫を飼っていますが、結婚するまでは猫の良さを全然知りませんでした。実は、夫とともに猫がやってきたんです。そこから猫の魅力に取り憑《つ》かれました。「なんなんだこのカワイイやつは」と(笑)。

いまは別の猫を飼っていますが、天寿を全《まっと》うした最初の猫がいなくなったとき、十年以上も一緒にいましたので、とても辛かったんです。そんなある日、自分のお店にふらっとひとりの女性が来たのですが、その時にふと、

「あの子が会いに来てくれたんだ」と直感で分かったんです。その頃はまだ小説を書いていなかったのですが、この出来事がずっと心に残っていて、いつか書きたいなと思いました。それが「伝言猫」のスタートだったんです。

――まさに「伝言猫」のエピソードそのままですね。

標野　猫が会いに来てくれたんだと思いました。しかもしんみりとではなく、普段通りに。「じゃあね」みたいな感じで帰っていったので、「なんだ、楽しくやっているんだ」と安心して。それで私も立ち直れたんです。いままでも気づかないだけで、もしかしたら近くに来てくれているのかもしれないと思っています。

街中でふと出会う猫がもしかしたら「伝言猫」なのかもしれませんし、懐かしい音楽が聞こえてきたら「伝言猫」の仕業《しわざ》なのかもしれません。

――作品内にある、この世＝「緑の国」とあの世＝「青の国」という表現がとても印象的です。

標野　この話を書きたいと言ったときに、編集担当の方からすぐに、「いい話ですね」と反応があったのが私にとってすごく大きかったです。それまでの作品はリアルな世界観の物語ばかりでしたから。はじめて作品にファンタジー的とも捉えられる要素を入れようとしたときに、編集者に味方になっ

「伝言猫」シリーズ

「会いたい人けど、もう会えない人に会わせてくれる」と噂のカフェ・ポン。そこにいる「伝言猫」が思いを繋ぐ？感動の連作短編集。

**『伝言猫が
カフェにいます』**

PHP文芸文庫
定価：847円

「会いたい人」からの想いを伝言する猫・ふー太は、依頼のために向かった雪の山荘に閉じ込められ……。ハートフルストーリー第二弾。

**『伝言猫が
雪の山荘にいます』**

PHP文芸文庫
定価：847円

ていただいた事がひとつの力となりました。それが続編にもつながったと思います。そんなきっかけがあったので、私の中でも「伝言猫」は特別な思い入れがあるのです。

――それは読んでいても感じました。いいファンタジーは現実以上にリアリティーがあって胸に迫ります。

標野　ファンタジーでしか書けない世界があると思います。ただ、「伝言猫」に関しては、過去の体験をもとにしていることもあって、私個人の中ではファンタジーではないんです。おとぎ話ではなくてリアルな話と思って書いていました。ただ猫が主人公なだけで、猫はあくまでも猫のまま、しゃべってはいますが擬人化《ぎじんか》しているわけでもないですし。現実にいる猫であるということは大事にしています。ファンタジー的な世界観のなかでも、その「芯」は守っていますね。

――「あなたの会いたい人は誰ですか？」というフレーズも考えさせられますし、作品内での「会いたいけど会えない人」にも様々なパターンがあって、共感しながら読みました。

標野　「会いたいけど会えない人」というのは、亡くなった人に会いたいというのももちろんですが、生きている人同士でも、「会えない」ことはあります。伝えたい気持ちがあるのに、それを伝えられないジレンマを自分で

その他の標野凪さんの本

『占い日本茶カフェ「迷い猫」』
PHP文芸文庫
定価：858円

『今宵も喫茶ドードーのキッチンで。』
双葉文庫
定価：693円

『本のない、絵本屋クッタラ おいしいスープ、置いてます。』
ポプラ文庫
定価：792円

は解決できないから、「伝言猫」に託すのです。

――「伝言猫」シリーズは二冊ありますが、それぞれの趣《おもむ》きがあまりにも違っていて驚きました。

標野　一冊目はスタンダードな連作短編です。五つのエピソードから成り立った安心安定の構成です（笑）。二冊目は読者のみなさんがザワついていると思います（笑）。

「ミステリあるある」を裏切りたくて

――帯文に「舞台はまさかのクローズド・サークル!?」と書いてありまし

たが、タイトル、登場人物、物語の構成、部屋の配置図、小道具など、細部に至る作りがミステリ作品としか思えません。

標野　小説家になった当初は、単発作品だけを書いていこうと考えていて、シリーズものは書かないつもりでした。そんななか、『今宵も喫茶ドードーのキッチンで。』をたくさんの方に読んでいただく機会を得て、そのお礼の気持ちを読者に届けたくて続編を書いたのです。「伝言猫」も同じ考えです。ふー太はもう一人前になっていますし、会いたい人にも会っていますから、私の中では完結していて、楽しく向こうの世界でやっているということで充分でした。ただ、書かせていただいたことへのお礼としてもう一冊書くことになった時、一冊目と同じ構成では書けないなと感じました。冗談半分で「次はミステリ風にしようか」と口にしていたのですが、よく考えてみたらそれは使えるかもと思い、雪の山荘を舞台とした作品が生まれました。編集担当からは「謎を増やしましょう」と言われたので、ミステリあるあるを出していって、それをことごとく裏切るようなストーリーにしました。不穏《ふおん》に見えて、実は全部が穏《おだ》やかな方に流れていくと。

——まさかのハートフルストーリーでありつつ、ラストの伏線回収では鮮《あざ》やかな景色を見せてもらいました。今回も完璧な着地をしていますが、どうしても次の展開が気になります。

標野　ふー太がとても魅力的なキャラクターに育って、いろんな方から愛されていますし、新しい試みを受け入れてもらえたというのも良かったです。私自身、ここまで違えば別の物語のように楽しめました。『ドリトル先生』やアガサ・クリスティー作品のように、登場人物は同じでも舞台を変えていけば、また違ったストーリーは作れるかもしれません。夢は広がりますね。

――最後に読者に向けてひと言お願いいたします。

標野　今作については様々な要素を入れました。ミステリ好きでもそうでない方にも思う存分に楽しんでほしいです。季節は真冬ですが、ハートフルな作品ですので、心あたたまります。怖がらずにどうぞお読みください（笑）。

ブックガイド

古典から感動作、ミステリーまで

猫と人間の不思議な関係を描く物語

文・瀧井朝世

古今東西、さまざまな小説に登場する猫たち。時には愛らしい家族、時に人間の言葉を理解する不思議な存在、時にはリアルな動物として、彼らは物語を引っ張ってくれます。

そこで今回は猫が印象的な作品をご紹介。なごめる作品から、ミステリアスな小説、動物と人間の関係を見つめ直させる内容など種々取り揃えました。

読み継がれる古典と名作

猫が出てくる古典的な名作は山のようにある。国内でいえば、やはり夏目漱石《なつめそうせき》の**『吾輩は猫である』**。中学校の教師である珍野《ちんの》苦沙弥《くしゃみ》先生の家に出入りしていた猫が、先生やその家族、家にやってくる人々の様子を観察する話だ。海外作品でもシャルル・ペローの**『ながぐつをはいたねこ』**のように長く読み継がれている作品は多い。SF小説をよく読む人なら、もっとも愛されている猫としてピートが思い浮かぶのではないだろうか。ロバート・A・ハインラインの**『夏への扉』**の主人公、ダンが飼っている猫である。ピートは冬になると家じゅうの扉を開けるようにせがむ。扉のどれかが夏へ通じていると信じてあきらめないのだ。ある時ダンは、恋人と友人に裏切られ、自身の発明品も奪われて失意のどん底に突き落とされ、冷凍冬眠により三〇年後の世界で目

『ながぐつをはいたねこ』
シャルル・ペロー著、
いもとようこ訳／
金の星社
定価：1,650円

『夏への扉』〈新版〉
ロバート・A・
ハインライン著、
福島正実訳／
ハヤカワ文庫SF
定価：924円

『吾輩は猫である』〈改版〉
夏目漱石著／新潮文庫
定価：693円

覚める。彼はタイムマシンを利用して、失ったものを取り戻そうと奮闘していく。夏への扉を探し続けるピートと同じように、彼も決してあきらめないのだ。

とりわけ猫の描写が印象的なのは谷崎潤一郎《たにざきじゅんいちろう》の**『猫と庄造と二人のおんな』**だ。猫のリリーを溺愛《できあい》する庄造、そのリリーを譲ってくれと手紙を出す前妻の品子、庄造がリリーばかりかわいがるのが面白くない現在の妻の福子。この三人のもつれた感情と事の顛末《てんまつ》が可笑《おか》しみを持って書かれた作品である。猫を飼ったことのある人なら、リリーの食べ物にじゃれつく様子や布団《ふとん》の中に入ってくる描写に、「分かる分かる」「そう、その仕草《しぐさ》が可愛《かわい》いんだよね」とうなずくことしきり、となるのではないだろうか。

大人も子供も楽しめる作品

小説ではないけれど、イラストレーターの北澤平祐《きたざわへいすけ》による絵本**『ぼくとねこのすれちがい日記』**は挙げておきたい。実体験をもとにしているようで、主人公は売れないイラストレーターの「ぼ

『ぼくとねこのすれちがい日記』
北澤平祐著／ホーム社
定価：1,980円

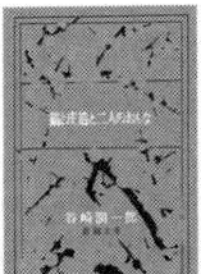

『猫と庄造と二人のおんな』
谷崎潤一郎著／新潮文庫
定価：506円

く」。妻が実家の裏庭で拾ってきた子猫と暮らす日常が華やかなイラストで綴《つづ》られていく。猫側の視点からも描かれるのがユニークだ。とにかく絵が可愛い。

万城目学《まきめまなぶ》**『かのこちゃんとマドレーヌ夫人』**は、好奇心旺盛《おうせい》な小学生、かのこちゃんと、外国語が話せる気高いアカトラの猫、マドレーヌ夫人の日常と冒険の物語だ。豪雨のあった日にマドレーヌが逃げ込んだのが、かのこちゃんの家の老犬、玄三郎《げんざぶろう》の犬小屋だったという繋《つな》がりだ。マドレーヌが猫又《ねこまた》になるなどファンタジー要素がある内容で、猫から見た人間社会や、猫と犬の愛情、かのこちゃんと友達の友情などが優しいタッチで描かれていく。

児童書ではないが、アンソロジー**『猫が見ていた』**もここで挙げておきたい。人気作家の猫にまつわる短篇を集めた一冊で、印象に残るのは北村薫《きたむらかおる》の「『100万かい生きたねこ』は絶望の書か」。佐野洋子《さのようこ》による、あのあまりにも有名な絵本の解釈で登場人物たちの意見が分かれる話で、これが非常に興味深い。出典は

『猫が見ていた』
湊かなえ、有栖川有栖ほか著／文春文庫
定価:704円

『かのこちゃんとマドレーヌ夫人』
万城目 学著／角川文庫
定価:748円

北村氏の「中野《なかの》のお父さん」シリーズ第二弾『中野のお父さんは謎を解くか』だが、他にも猫にまつわる作品が読めるということで、こちらのアンソロジーを選んだ。他の執筆陣は湊《みなと》かなえ、柚《ゆ》月裕子《づきゆうこ》、有栖川有栖《ありすがわありす》、井上荒野《いのうえあれの》、東山彰良《ひがしやまあきら》、加納朋子《かのうともこ》、澤田瞳《さわだとう》子《こ》。

街を歩く猫たちを描く

野良猫、地域猫が登場する作品も多い。まず、上野《うえの》瞭《りょう》『**ひげよ、さらば**』。野良猫たちの大冒険を綴《つづ》った大作である。主人公は池のほとりで記憶を喪失したまま目を覚ましたヨゴロウザ。声をかけてきた灰色の大きな猫、片目と行動を共にするヨゴロウザは、他の野良猫たちと出会い、ねずみ狩りや野良犬との闘いなど経験していく。NHKの人形劇にもなった名作である。児童向けの小説にしてはかなり壮絶で重たい内容だと思うが、自分も子供の頃に夢中になって読んだ。大人になって振り返ると、これは猫を主人公にした人間社会への風刺《ふうし》が込められていたのだとよく分

『ひげよ、さらば』(上・中・下)
上野 瞭著、町田尚子絵／理論社
定価各1,760円

かる。

丹下健太《たんげけんた》『**猫の目犬の鼻**』は一人の少女と近所の猫たちの十年にわたる物語。地方の町に暮らす心美は、中学三年生の時に同学年の少年から告白され「友達から」と言いつつ付き合い始める。その頃、心美《ここみ》の家の近所には猫の姉弟が住んでおり、姉は心美に「ぶち子」と名付けられる。心美の成長と並行して、ぶち子は妊娠と出産を繰り返し、やがてぶち子の娘が妊娠していく。ゆっくり歩を進める人間と、命を繋いでいく猫たちの時間が描かれた小説だ。

櫻《さくら》いいよ『**猫だけがその恋を知っている（かもしれない）**』は、海と山に近く、住民たちが地域猫を大事にしている町が舞台。野良猫の「ぼく」と駐車場に住んでいるハチワレ、飼い猫の花子《はなこ》らが人間たちの恋模様を見守る連作集だ。第一話では常連客の女性に恋したコンビニ店員の青年、第二話ではもうすぐ結婚するのに憂鬱《ゆううつ》そうな会社員女性などが登場、猫たちの連携によって彼・彼女らの恋に新たな局面が訪れる。人間たちはそれが猫たち

『**猫だけがその恋を知っている（かもしれない）**』
櫻いいよ著／集英社文庫
定価:814円

『**猫の目犬の鼻**』
丹下健太著／講談社
電子版あり

の意図《いと》的な行動だとは気づいていないし、猫たちは人間たちの本心を知らず、時に勘違いした行動をとっているのがおかしい。どの話でも、少し前にこの町で起きた交通事故について言及されるのだが、終盤にはその謎も明かされる。

猫との暮らしの悲喜こもごも

猫との生活を描いた小説ももちろんたくさんある。実際に飼った経験のある自分からすると、やはり印象に残るのは現実をちゃんと見つめた作品である。

藤谷治《ふじたにおさむ》**『猫がかわいくなかったら』**は著者の実体験に基づいている。近所の老夫婦のどちらもが入院したため二人が飼っていた猫を気に掛ける吉岡《よしおか》夫婦の物語だ。吉岡家にはすでに複数の猫がいるため新たに迎え入れることができず、彼らは老夫婦の了解を得たうえで猫たちの里親探しに奮闘する。吉岡夫婦や周囲の人々の巻き起こすあれこれが描かれるユーモアたっぷりの人間喜劇だ。高齢者のペット問題、人間と動物、地域コミュニティ、生

『猫がかわいくなかったら』
藤谷 治著／中公文庫
定価:748円

活支援のシステムなどの問題も盛り込まれ、現代人が考えなければいけないテーマも詰まっている。

唯川恵《ゆいかわけい》**『みちづれの猫』**はさまざまな女性たちの人生模様が描かれた短篇集で、なんらかの形で猫が関わってくる話となっている（猫のお祭りの話や、娘がアレルギーのために猫が飼えない母子の話など、必ずしも飼い猫の話ではない）。実家の猫がいよいよ旅立ちそうだとの連絡を受けて、娘と息子が帰郷する話や、一人の女性が人生を振り返るなかで、折々で出会ってきた猫との思い出がよみがえる話など、人と猫との出会いの話が胸を打つ。

柳美里《ゆうみり》の**『ねこのおうち』**は、六匹の猫と、それぞれが飼われることとなった家の事情を描く短篇集だ。幼い妹が捨て猫を拾ってきたことから、引きこもりだった姉に変化が生まれる話などほっとするものもあるが、老いた飼い主がいなくなり家を失ってしまう猫の話など、辛い内容もある。生き物を飼うことの喜び、難しさ、責任というものを、読みやすい短篇のなかに盛り込み、時に胸がしめつけられる。これから猫を飼おうと思っている人に薦

『ねこのおうち』
柳 美里著／河出文庫
定価:814円

『みちづれの猫』
唯川 恵著／集英社文庫
定価:704円

めたくなる。

沼田《ぬまた》まほかるの『**猫鳴り**』も、猫好きにとっては辛い場面がある。だが、読んで損はしない名作である。流産して心がすさんでいる四十代の信枝《のぶえ》は、近所に捨てられていた仔猫《こねこ》の鳴き声がうるさいからと何度も遠くに捨てようとする。しかし仔猫は何度も戻ってきて、信枝と夫の藤治《とうじ》はその子をモンと名付けて飼い始めることに。月日が流れるなかで、モンと近所の少年や少女との交流も描かれるが、号泣必至なのはともに老いた藤治とモンの姿を描く第三章。二十歳を迎え、日々弱りながらも生き抜こうとするモンの姿が神々《こうごう》しい。

その「働く」姿が愛おしい

人間のためにお仕事する猫の話をいくつか挙げてみる。標野凪《しめのなぎ》『**伝言猫がカフェにいます**』はファンタジーだ。あの世とこの世の境界にあるカフェ・ポンの店主は、生者と死者の橋わたしをしている。その使いとして、「会いたい人」からの言葉を届けるの

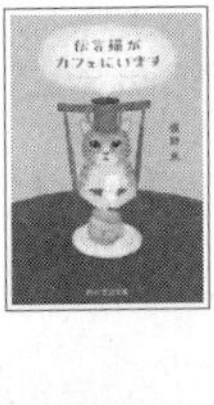

『**伝言猫がカフェにいます**』
標野 凪著／PHP文芸文庫
定価:847円

『**猫鳴り**』
沼田まほかる著／双葉文庫
定価:576円

が、猫のふー太だ。天寿をまっとうしたふー太は「仕事を五回達成すると、会いたい人に会える」という報酬を目当てに今日も働くという、心温まる内容。続篇**『伝言猫が雪の山荘にいます』**では、伝言を届けようとしている人たちが集まり、雪の山荘に閉じ込められてしまう状況が発生。ミステリー好きのふー太は事件が起きるのではないかと独自に探偵めいた行動を起こす、という展開だ。

重松《しげまつ》清《きよし》**『ブランケット・キャッツ』**はレンタル猫の話である。使い慣れたブランケットとともに、二泊三日だけ貸し出される猫たち。期間が短いのは、長期になると猫は不安になるし、人間は情が移ってしまうから。あくまでも猫たちはレンタル専門なのである。子供ができない夫婦は猫を飼うか迷った挙句、試しにレンタルを試みる。常連の女性客は、引退したレンタル猫を連れてドライブに出かけるが、なにか事情がありそう。横柄《おうへい》な父親に連れられてマンクスをレンタルした少年は、学校ではいじめの問題を抱えている。ある家族は、記憶がおぼつかなくなった老いた

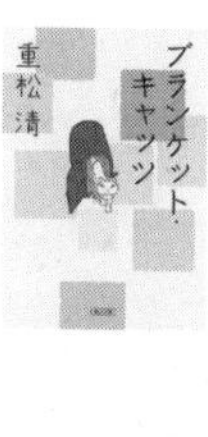

『ブランケット・キャッツ』
重松 清著／朝日文庫
定価:638円

『伝言猫が雪の山荘にいます』
標野 凪著／ PHP文芸文庫
定価:847円

母親のために、以前飼っていた子と似ている猫をレンタルする……。人間たちの事情を理解しているのかどうなのか、思いがけない猫の行動が、人々の心に風穴を開けていく。

猫にはミステリーがよく似合う？

ポーの短篇「黒猫」をはじめ、ミステリー作品にも猫はよく登場する。壮絶な内容なのに猫の可愛さに身もだえしてしまうのは、中山可穂《なかやまかほ》の『ゼロ・アワー』だ。タンゴだけを愛する冷酷な殺し屋〈ハムレット〉は、一家全員殺害の依頼を受けて入った家で、たまたま外出していた長女の広海《ひろみ》以外の全員を殺す。だがその家の飼い猫、アストルに顔を引っかかれ、猫の爪に自分の皮膚《ひふ》が残ったのではないかと危惧《きぐ》した彼はアストルを連れ帰る。まったく懐こうとはしないマイペースなアストルだが、愛嬌《あいきょう》はたっぷりで、〈ハムレット〉の中に少しずつ猫に対する愛情が芽生《めば》えていく。いや、もうメロメロになっていくのだ。一方、生き残った広海はアルゼンチンのブエノスアイレスに住む祖父に引き取ら

『ゼロ・アワー』
中山可穂著／徳間文庫
定価:814円

れ、タンゴを習いながら、家族を殺した男に復讐《ふくしゅう》をするため身体を鍛えていく。やがて〈ハムレット〉と広海の人生が交錯《こうさく》するという、重厚でスリリングで美しく、残酷な物語だ。ちなみにアストルは、タンゴに革命をもたらしたミュージシャン、アストル・ピアソルと同名だ。

『黒猫を飼い始めた』は今注目の作家たちが参加したアンソロジーで、どの短篇も書名と同じ一文から始まる。潮谷験《しおたにけん》、斜線堂有《しゃせんどうゆう》紀《き》、辻真先《つじまさき》、一穂《いちほ》ミチ、真下《ました》みこと、似鳥鶏《にたどりけい》、青崎有吾《あおさきゆうご》、朱野《あけの》帰子《かえるこ》、方丈貴恵《ほうじょうきえ》、三津田信三《みつだしんぞう》、円居挽《まどいばん》ら二十六人が参加。

たとえば紙城境介《かみしろきょうすけ》の「灰中さんは黙っていてくれる」は小学生の話。「ぼく」のクラスの灰中さんが黒猫を飼い始めたというので放課後数人で見に行ったところ、猫の目には眼帯が。どうやら公園で怪我《けが》しているところを保護したらしい。帰り際二人きりになった時、灰中さんは「ぼく」に意外なことを言う。結城真一《ゆうきしんいち》郎《ろう》の「イメチェン」は、一緒に暮らす彼女が黒猫を飼い始めたというが、部屋を見まわしても黒猫などいない。一体どういうこと

『黒猫を飼い始めた』
講談社編／講談社
定価:1,705円

なのか？　という話。一穂ミチの「レモンの目」は、毎晩通ってくる黒猫のリボンにこよりを結び付け、小学生と思われる女の子とやりとりを始めた一人暮らしの女性の話。講談社の「メフィスト・リーダーズ・クラブ」の企画によるアンソロジーのため、ミステリー仕立てのものが多く、短いながらどれも意外な結末が待っている。

伊坂幸太郎《いさかこうたろう》の**『夜の国のクーパー』**はジャンル分けが難しい作品だ。ある日見知らぬ場所で縛《しば》られた状態で目を覚ました一人の男。身体《からだ》の上には一匹の猫。人間の言葉を話すその猫が語り出すのは、ある国の話だ。戦争で負けたその国に、敵国の占領軍がやってくる。そんな人間同士の争いの裏では、猫と鼠の対話が始まっていた……。戦争や権力といったテーマを盛り込みながら、終盤には著者らしい驚きも用意されている大作である。

『夜の国のクーパー』〈新装版〉
伊坂幸太郎著／創元推理文庫
定価:880円

※定価は税10%です。

遠楓《とおかえで》ハルカの捜査日報

道頓堀で別れて

前編

松嶋智左
Matsushima Chisa

波しぶきがわたしの頰《ほお》を打つ。濡らしているのが涙なのか、海の水なのかはわからないけれど、柔らかくて冷たくて…すこし、しょっぱい。
船の上から明けゆく空を見つめる。さまざまな色が広がるなか、ひと筋の雲を残して白い機体が遠ざかる。ゆっくりと手を振った。さようなら、あなた。

——映画『柔らかに燃えて』より

音もなく玄関ドアは開き、そして静かに閉じられた。

リビングにいる夫が、口ずさんだセリフを聞いて尋ねてきた。

「映画って、それのことなん？」

「そうよ。十年振りにリメイクする話があって」

そう答えると、ちらりとこちらを見て、ふうん、と詰まらなさそうに口を曲げる。妻の出世作だから気に入らないのだろう。気づかぬ振りをして、ソファの背もたれに手をかけた。夫の視線は響子《きょうこ》から離れて、また手元に戻る。

二人掛け用のソファで、夫は寝転んでいた。ローテーブルの向こう、窓際に大きなテレビが一台。日曜日の昼はバラエティ番組ばかりで、時折、横目で見ては出演者をくさし、またゲームをする。仕事がないときは、ずっとゲーム。仕事らしい仕事がないから、食事と排泄《はいせつ》と僅《わず》かな睡眠以外はほとんどゲームをしていることになる。そして平気で課金を続ける。

「ほんで、なんの役なん？　まさかヒロインの恋人やないやろう」

そういって卑屈な笑みを浮かべる。目は画面を見たまま。

ソファの後ろを回って真横にきても、響子を見ようとしない。だから、振りかぶったものがなにかもわからないのだ。首と肩甲骨《けんこうこつ》のあいだを狙って振り下ろすと、夫は悲鳴を上げ、ゲーム機が床に転がった。同時に体が跳ね上がり、テーブルとソファのあいだに転がる。ようやくなにが起きたか気づいたらしい。いや、大きく見開いた目を見る限り、なにも理解していないだろう。

「これしか方法がないの。そのことがわからなかったの?」

一発殴ったくらいでは、しかも頭を外したのだから死にはしない。響子は、喚《わめ》きながら逃げようとする夫に近づく。

「な、なにするんや」

起き上がろうとするところをもう一発肩に打ち込んだ。素早くうつ伏せにして両腕を後ろに回すと、結束バンドで拘束《こうそく》。同時に両足も。次に口にタオルを押し込んでガムテープで塞《ふさ》いだ。苦痛の呻《うめ》きを上げる。抵抗する気力はないようだが念のためだ。

夫を床に転がしたまま、響子は部屋を漁《あさ》った。お金や時計、一見して高価だとわかるもの。そんなものはほとんどないが、それでもかき集めて、部屋を荒らすだけ荒らして回った。泥棒は、戦利品が得られないとやけくそのようにしてめちゃめちゃにしていくと聞く。

さすがに息が切れた。

「荒らしても荒らす前と大して変わらないんだから嫌になっちゃう」

思わず呟いて、自分で笑った。

そして最後に夫を見つめた。苦痛と息苦しさで歪んだ顔が、響子を見上げている。黒い臆病《おくびょう》そうな目が左右に激しく揺れた。怯《おび》えがじょじょに目の色を染める。死にたくないという本能からか、ともかく窮地《きゅうち》を脱しようと最後の力を振り絞っている。両手両足を縛られながらも、尺取《しゃくと》り虫のようにのたくって廊下へ出ようと這《は》い出した。諦めが悪いわね。昔からそうだったけど。

緑の上下のスウェットだから、尺取り虫というより青虫かしら。

「仕事でも、それくらい面白いことができれば良かったのに」

そういうと噴き出した。

響子の夫は、大阪でピン芸人をしている。芸名はタックン。本名が月岡巧《つきおかたくみ》だからタックン。一時は関東でも注目され、マンションを借りて東京を拠点にするほど人気を博した。同じころ、英《はなぶさ》響子は俳優としてデビューしていたものの、美人であること以外に取り柄《え》がなく、その他大勢の一人だった。テレビドラマの仕事がちらほらあってもセリフのある役はめったにない。それでも希望を捨てず、業界人と接点を持とうと懸命になっていた。そんなとき、売れっ子芸人の月岡に声をかけられ、そのままずるずる結婚することになったのだ。響子が二十七歳、月岡が二十五歳のときで、あれから十年。子どもはいない。

三十歳になる前、映画「柔らかに燃えて」の主役が降板したため、急遽《きゅうきょ》、抜擢《ばってき》された響子が、映画のヒットと共にブレイクする。それからは順調に役者としての地位を高め、今では引く手あまたで活躍するベテラン女優だ。

一方の夫は、反比例を起こすかのように落ちぶれていった。そこに賭《か》け麻雀《マージャン》、若手タレントとの浮気、大麻所持などのスキャンダルが拍車をかける。東京はおろか大阪ですら声をかけてくれるところはなくなった。

所属していた事務所からは、たまにダブルブッキングのフォローや病気で穴をあけた後輩芸人の仕事を振ってくれることはあったが、それも大型商業施設や健康ランドでの営業ばかりで、過去の栄光にすがりつく月岡はそんな下っ端《ぱ》仕事をよしとしなかった。お陰《かげ》でひと月前、とうとう事務所から最後通牒《つうちょう》が申し渡された。ずい分、我慢してくれたものだと思う。

そして響子自身も。

「いやや。離婚はせえへん。絶対せえへんで」

半年前、マネージャーに対する暴行の罪で逮捕され、起訴猶予となって戻ってきたときに切り出した離婚話を月岡は拒絶した。土下座し、一からやり直して仕事を頑張ると、これまでと同じ嘘を並べては女優顔負けの涙さえ流した。響子は黙々と荷物——東京の二人のマンションにある夫の持ち物——をまとめながら、出ていってと突き放そうとしたときだ。突然、スマホの写真を見せられた。

昔、タックンが営業で呼ばれたパーティに響子もついていったときのものだ。付き合い始めた二十代半ばごろで、仕事もなく暇にしていた時期だった。主催者や多くの客と共に笑顔で写っている。

「これ知ってる？　この人や」

目元が涼しい短髪の、がっちりした体軀《たいく》の男が、響子と肩を組んでいる。響子はちょっと困った表情だが、男はカメラを向いて満面の笑みを浮かべていた。知らないわよそんな昔の写真、といって手でスマホを払いのけると、月岡は引きつった笑顔で告げた。

「ちょっとクールなイケメン顔やろ。この人な、野島士郎《のじましろう》っていうてな、大阪のな、やっちゃんや」

それも地元では知らんもんのない組の人でな、と響子も知る組の名を告げた。

「組関係の人と一緒に写真に写っているだけで、俺らみたいなんは叩《たた》かれて、干される時代や。うなぎ上りに売れ出していたときやったから、バレたらえらいこっちゃとヒヤヒヤしてたわ」そやけど、と目を伏せた。「そんなん、今の俺にはもうどうでもええことや」

目を上げ、響子を見つめるとにっと笑う。「でも響子は困るやろ？　こんな写真がマスコミに出たら。この野島って男、今は押しも押されもせぬ大幹部さんらしいで」とスマホをスウェットのポケットに押し込んだ。


離婚話は立ち消えとなり、何事もなかったかのように二人の暮らしは続けられた。月岡は大阪、響子は東京と別居同然だったから、顔を合わせて不快な気持ちになることはなかったが、ずっと月岡巧が死ねばいいと思い続けていた。ずっとずっと。脅《おど》されてすぐでは、なにをいっても用心すると思い、半年我慢した。大阪に仕事があるのでちょっと寄るわといった響子に、月岡は電話の向こうで一瞬黙り込んだ。すぐに、知り合いから仕事を紹介してもらえそうよ、映画なのよ、どう？　というと、急に声音《こわね》が変わった。疑いを持っていない様子に、ああ、やっとそのときがきたのだと安堵《あんど》した。

尺取り虫になった月岡の腰の辺りを思い切りヒールを履いた足で踏みつける。

塞《ふさ》がれた口からくぐもった悲鳴が漏れ、床の上でのたうち回った。腹を蹴ることで大人しくさせ、小柄な体を窓際まで引きずっていった。側にあるテレビ台に座らせ、この部屋で一番重い、確か七〇キロほどある、85型の液晶テレビに縛りつけた。月岡が大阪の浮気相手、今はたぶん、芸人のための学院に通う十代の女の子、を呼び寄せては一緒に映画を見たり、ほかの人のコントや漫才を見て大笑いしたりするために、響子のお金を使って買ったものだ。しかもオーク材でできたテレビ台に固定されているから、身長一六五センチ体重五十八キロの夫ではどうしようもないだろう。

ここは月岡だけが使う、月岡がいうところのコントを集中して考え、練習するための部屋だ。仕事をするのならやはり大阪だ。大阪こそが自分にとっての発信源なのだと意味のわからない御託《ごたく》を並べて街なかにあるマンションの一室を借りた。

響子はこの部屋の鍵を渡されておらず、これまでも数えるほどしか入ったことがない。それも、事前に行くという連絡を入れておかなければドアも開けてくれない。響子の仕事は主に東京だからめったにくることもないのだが、それでも気にはなる。

少し前に東京にきたとき、響子は処方してもらっている睡眠薬を飲ませた。鍵を盗み出して、このマンションの合い鍵を作るためだ。そして月岡が珍しく地方営業に出たときを狙って、こっそり入ってみた。あちこち覗き見したお陰で、びっくりするような大きさのテレビがあることも、若い子と浮気をしていることも知ることができた。もちろん、そのときは防犯カメラに映らないようにしたたし、女優ならではのさりげない変装も施している。それでも最初はずい分と緊張したものだ。

だが、場所が良かったのだろう。窓の下は道頓堀川《どうとんぼりがわ》という大阪一繁華なエリアにあって、昼夜問わず人通りがあるから、雑踏に紛《まぎ》れれば誰にも見咎《みとが》められることがない。

「どないですか。苦しいところとかないですか」

英響子は、等身大の姿見に映した制服姿を隅々《すみずみ》までチェックしながら、今尋ねた男は、大阪中央署の警部補だったか、警部だといっただろうか、と考える。名前は、コバトといった。どんな字を書くのかは尋ねなかったが、小鳩ならいいなと思ったのを覚えている。

「女優さんはスタイルがええから、うちの備品で合うのはないやろうと心配してたんです。なにせ、M、L、LLという大雑把《おおざっぱ》なサイズしかないもんやから。なあ、

にする。

「はい。でも、やっぱり女優さんは違いますねぇ。愛想のない制服がブランドものに見えます」と三崎と呼ばれた女性警官も安堵する顔つきで、馴れないお世辞を口にする。

そう？　と微笑んで見せて、響子は鏡に映り込んでいるマネージャーの緒方《おがた》を見やる。緒方淑子《よしこ》は響子についてもう十年近い。スタイリングも担当してくれているから、緒方が大丈夫だと首を縦に振ったのを確認してから体を返した。

「じゃあ、これで。靴は、自前ので構わなかったですよね」

「ああ、はい、伺っております。確かに、うちの靴はダサいって女性警官からも不評ですねん。黒であれば問題ありません」

「いえ、わたし足の形が悪いから市販のは合わないんです。我がままいってごめんなさいね」

「いいえ、とんでもありません。それでは、あとは制帽ですね。三崎《みさき》くん」

「どうぞ」と手に持っていた帽子を差し出す。響子は受け取ると、髪を手櫛《てぐし》で整え、正面に大きなエンブレムの入った制服と同色の帽子を被る。すかさず緒方が左右の髪を櫛で丁寧に整える。

「敬礼は？　敬礼をするのでしたわね」首を左右に動かして具合を見ながら尋ねる。

「はい、そうしていただけるとありがたいです。三崎くん、してみて」

女性警官がすっと背筋を伸ばすと、右手を帽子の庇《ひさし》へと運ぶ。響子はそれを真似て見せる。三崎が、失礼しますと断って、曲がった手首や指先を直す。

「はい、これで完璧です。素敵です」

響子は姿見を見ながら、何度か手を振り上げ、振り下ろしてみる。三崎は、そんな響子に微笑《ほほえ》みかけ、それから木場戸《こばと》に顔を向ける。

「木場戸係長、それではこのあと署長室へ？」

「ああ、ぜひ、そうしてもらおうか」

木場戸は響子に向き直り、にこやかに笑う。

「英さん、それではパレードに出るまでの時間、どうぞ署長室でごゆっくりしててください。お茶でも飲んで。うちの署長も心待ちにしておりますんで」

三崎もあとに続く。

「うちの署長、英さんの大ファンなんですよ。今回、歳末警戒の一日署長を打診してみたらどうやろうって署長がいい出したんですけど、みんなそんなこと無理に決まってる、あり得へんと笑ってたんですけど」

「そうや、それがまさかお引き受けいただけるとは。もう、大阪中央署の署員はみな浮かれまくって、朝から仕事にならんくらいですわ」

「まあ、ありがとう。ふふふ」と、嫣然《えんぜん》とする。もちろん、女優ならではの笑みだろうが、木場戸も三崎もだらしなく頬を弛《ゆる》めた。

心のなかで思う。

そう、この仕事が入ってこなかったら、計画はしなかった。

秋になろうかというころ、夫が大阪の芸人だからということから響子に話が舞い込んだ。実際、この大阪中央署の署長が響子のファンなのかもしれない。最初、緒方は断るつもりだったらしい。東京ならともかく、どうして大阪の警察署の一日署長なんか、と。けれど響子が鷹揚《おうよう》な態度を見せたのだ。夫が生まれ育った大阪は、自分にとっても故郷です、などといって。

心の内では、大阪中央署が道頓堀川沿いを含めた一帯を管轄《かんかつ》とすることを知って、この恐ろしいほどの偶然に歓喜していた。利用しない手はない。これはきっと啓示なのだ。響子の考えていることに天が味方しようとしているのだとさえ思った。

本物の警察官よりも完璧に制服を着こなした響子は、薄汚れたリノリウムの廊下を辿《たど》って、一階奥にある署長室へと向かう。

＊

「いてっ」

玄関扉の前で屈んでいた若い鑑識課員が思わず目を向ける。見ると松葉杖の先がふらふらと揺れていた。どこに置こうかと迷っているらしく、床に突いたと思ったら、すぐに宙に浮く。また横腹に当てられそうになって転ぶようにして避けた。

「危ないなぁ、なんでそんな邪魔《じゃま》なもん突いて」

鑑識課員はすぐに唇を引き結んで、あとの言葉を呑《の》み込んだ。そしてなにもいっていないという風に姿勢を戻して鑑識作業を続ける。

「あ、ごめん、当たった？」

文句をいったのが聞こえていたのかと、鑑識課員は軽く目を瞑《つむ》り、すぐに笑顔を向けた。「いいえ、大丈夫です。班長、お見えになったんですね。お怪我《けが》、大丈夫ですか」

「うん、こんなんどうってことないんよ。松葉杖なんて大袈裟《おおげさ》なんやけど、歩くんやったら使った方がええっていうから。今日も仕事帰りに病院に寄ってたら連絡が入って、診察が終わってからきたんやけど、鑑識さんはまだ終わってなかったんやね。もうちょっとかかりそう？」

「はあ、そうですね」といいかけたら、奥から太い声が被さる。

「ええですよ、班長。屋内はだいたい、すんでますから、どうぞ」

鑑識課で十年目を迎える大友《おおとも》係長が手招きしている。他の課員を引き連れ、玄関を出て行くのに、若い鑑識課員も手早く片付けてあとを追った。

「佐藤《さとう》くん、シューズカバー付けてくれる？」

「はい、班長」

身長一九〇センチ、体重一〇一キロの機動隊出身の大阪府警捜査一課の新人刑事は、窮屈《きゅうくつ》そうに狭い廊下で身を屈《かが》ませた。左足はスニーカーを履《は》いているから、ビニールのシューズカバーを丁寧に装着する。右足はギブスなのでなくても良さそうなものだが、一応、鑑識からもらったレジ袋で包み込む。

「ありがと」

班長は玄関から上がって廊下を辿る。佐藤もすぐうしろを歩いた。

短い廊下の左右にドアがあり、寝室と風呂・トイレだろう。奥にあるガラスの嵌《は》まった扉の向こうが恐らくリビングとキッチン。場所は道頓堀川沿いで、ミナミの繁華街のど真ん中。いわば一等地で、そのせいか家賃十八万のわりには部屋は1LKと狭い。

「それでも、東京とかに比べれば安いですよ」

「そうなん？　ああ、佐藤くんは警官になってこっちにくるまでは東京の子やったもんね」

東京の子？　佐藤は軽く眉根を寄せるだけにとどめる。

「安いのは古いからでしょ。ミナミでも、昔からの建物が肩を寄せ合うように密集している地域よ。耐震補強や防火設備とか、ちゃんと基準をクリアしてるのかどうか。防犯カメラが満足についてないってことからして怪しいもんやわ」

一階で訊《き》いたところ、玄関入り口と裏口から非常階段に上がるところにはあるが、建物内ではエレベータ以外には設置されていないという。おまけに裏口のカメラは壊されていた。

「あかんやん」と班長は唇を尖《とが》らせる。

大阪に暮らすとすぐに大阪弁がうつってしまうと聞いていたが、六か月の警察学校でもその後、いくつか異動した先でも、佐藤はいまだに『なんで標準語なんや？』と訊かれる。標準語というほどのものではないが、なににつけてもアクセントが違っていて、相手に違和感を与えるらしい。

刑事を目指してようやくこの秋の異動で捜査一課に配属された。そこでもまた、班長から件《くだん》の質問をされたのには、さすがにうんざりしかけたがすぐに、『東京の彼女と別れたんやったら、大阪弁も話すようになるんやない？』といわれたのには度肝《どぎも》を抜かれた。彼女とのことは同期にも話していなかったのにと唖然《あぜん》としたが、他の班員は笑いを噛《か》み殺しているだけだった。

それから、二月《ふたつき》もしないうちに班長が怪我をした。事件ではなく純粋に自己責任による転倒事故だったが、右足首を骨折し、全治一か月と診断された。その間、松葉杖での歩行になるが、班長はそのことを特段不自由にも思わず、こうして事件が発生すると通常通り、いや専用車を与えられたため、これまでより早く到着するようになった。

佐藤は、一課では最若年の二十八歳で、巡査部長だが新人ということもあって、そんな班長のお世話係兼助手をいいつかっている。

「班長、お疲れさまです。診察終わりましたか。意外と早かったですね」

先着していた一課刑事の久喜《くき》が顔を出す。年齢四十三歳、階級は警部補、捜査一課にきて七年目のベテラン。背が高くしゅっとした顔の男前で元ラグビー部員だったせいか細身に見えるが意外と筋肉質だ。女性警官のあいだで人気があるが、久喜は年上の奥さんひと筋で真面目《まじめ》。キャバクラにもいったことがない。家庭では三人の子どもを持つ父親。

「お疲れさまです」

佐藤が後ろで頭を下げると、すぐに「遺体は？」と訊いてきた。マンション裏の川に面した細い道の上に遺体は横たわっており、到着するなり確認していた。佐藤が、「はい、今さっき」と答えると、久喜は小さく頷き、「現場はこっちのリビングですが」と答え、手前のドアを指差して「奥さんが寝室に」と囁《ささや》いた。

「奥さん？」

久喜が手短かに説明する。

今夕、大阪中央署において歳末警戒の発足《ほっそく》式があった。そのイベントの目玉として、女優の英響子を一日署長として招いていたらしい。響子を先頭に大阪中央署の署長や防犯協会長、警察署協議会々員らお歴々が道頓堀商店街をパレードし、その後、湊町《みなとまち》リバープレイスの船着き場から船に乗り込み、道頓堀川を往復するというものだ。船のなかから川沿いや橋の上にたむろする一般市民に手を振り、防犯意識を喚起《かんき》する趣向だった。

「え、嘘、ホンマに英響子なん？」

あの映画好きなんよねぇ、と遠い目をする。「佐藤くん、知ってる？『柔らかに燃えて』あれは傑作よ。特にラストシーン、なんべん見ても泣けるわぁ」

久喜がすかさず言葉を挟む。

「そのせいもあって、さっきまで大中（大阪中央署）の署長らが侃々諤々《かんかんがくがく》大騒動をやらかしてたんですが、ようやくお引き取り願ったところです。奥さんだけ部屋に上がってもろて、所轄《しょかつ》の連中には周辺の聞き込みとマスコミ対応に回ってもろてます」

「署長はおらへんの？それは良かった」と心から安堵の表情を浮かべる。「相手にせんでええのは助かる。いつもながら手際《てぎわ》良くて助かります、久喜さん。そしたらまずは、英響子さんに会《お》うてみようか」

そういって向きを変えるので、リビングの戸に手をかけていた佐藤は慌てて班長の側に寄ってドアノブを回した。

「うっ」

入るなり思わず声を出してしまった。紺色の見慣れた制服から、警察官にはあり得ない華やかなオーラが放出しているのを目の当たりにして大いに驚く。赤く泣きはらしたような目をしていても、その魅力は少しも薄まっていない。むしろ、ほどよいやつれが妖艶《ようえん》さを醸《かも》し、しっとりした美しさがフレグランスのように部屋じゅうに満ちている。

「いてっ」

松葉杖の先がふくらはぎに突き刺さっている。

「す、すみません。班長、どうぞ」

すぐに体をどけて、道を開ける。

英響子は訝《いぶか》しげに目を細めたが、それでも新しく入ってきた人物が責任者らしいとわかったようで、膝にかけていたショールを外して、すっと椅子から立ち上がった。班長は響子の前までくると、脇に松葉杖を挟んだまま、ギブスを嵌めた足の爪先を床に立ててバランスを取った。そして、パンツスーツの胸ポケットから名刺を取り出した。

「初めまして、大阪府警刑事部捜査一課警部の遠楓《とおかえで》ハルカといいます」

ハルカは、さっと視線だけで周囲を見回して、「この事件を担当します」といって軽く頭を下げる。響子は名刺を見、ハルカを見、そして松葉杖を見て、「はあ」と答える。はあ、としか答えようのないシチュエーションだが、ハルカは馴れたように、「転んで骨を折ってしまい、こんな格好ですが気にしないでください」といった。

「あ、いえ。足の怪我もですが、責任者の方が、こんなに若くて綺麗な女性だなんて意外で」

「よういわれます」

堂々と受けとめる。実際いわれ馴れているのだろう。佐藤も初めて顔を見たときは敬礼を一瞬、忘れそうになるくらい戸惑った。

遠楓ハルカ、年齢三十四歳。階級は警部。昨年の秋まで所轄の刑事課長をしていたが、当時の一課班長が体調を崩したため、急遽《きゅうきょ》、秋の異動に間に合うよう選任され、ハルカが就いた。班長として一年ちょっと経ったところだ。

機動隊にいた佐藤ですら、ハルカの噂は耳に入っていた。昇任試験をストレートで通過し、最短で警部となったハルカは国立大出の才女。頭がいいだけでなく、大学時代はミスキャンパスに選ばれたというほどの美人。身長は推定一五六センチ、推定体重四二キロと小柄だが、大きな奥二重の目はいつも濡れたように輝き、鼻筋が通って、小さく厚めの唇は口紅を塗っていなくても桃色に輝く。色白で染みひとつない肌はきめ細かで、肩までの黒髪はくせ毛らしくいつも柔らかにウェーブしている。ときどき妙な向きにはねているのが愛嬌《あいきょう》ともいえる。

ハルカは単に美人で頭が良いだけではない。他の所轄にさえ噂が届くほど、刑事として優秀だった。才能という言葉がふさわしいかわからないが、そうとしか思えないほどの活躍を見せた。だがいくら仕事ができても、若い女性が刑事畑で力をふるうには様々な障害が起きる。男性の嫉妬《しっと》と執念深さは女性のそれを凌駕《りょうが》するといわれる。

精神的な面だけではない。ガタイの立派な刑事に混じって、小柄で膂力《りょりょく》のしれているハルカが仕事をするには、美貌《びぼう》と才能だけでは乗り切れない部分がある。また階級が上がれば、年齢も経験も自分より上の者を部下に持つことになるから難儀さが増す。指導者としての力量が、男性にも増して問われるだろう。

だが、ハルカには見た目からは想像できない図太さがあった。大阪生まれの大阪育ちで、考え方も口調も遠慮のなさも、世間で一般にイメージされる大阪のおばちゃんそのものだった。そこに美貌と頭脳が加わるのだから、ある意味無敵といえる。

ハルカがセクハラ、パワハラまがいの物言いをしても、誰も文句をいわないし、ことさらいい立てることもしない。いう方が恥ずかしいという雰囲気すらあった。それでいて年長者への礼儀や気遣いだけは怠《おこた》らず、所轄でもうまくやっていたと聞く。三十四歳の若さで一課の班長を任されたのが、なによりの証拠だろう。

ハルカは響子を真っすぐ見つめ、「ご主人はお気の毒でした」と丁寧に頭を下げる。

「奥様が発見されたそうですね」といってちらりとベッドに視線を向けた。

寝室は六畳ほどで、木目調の壁紙にブルーのカーペットを敷き詰めている。家具はセミダブルのベッドと木製のワーキングデスクと椅子のセットだけ。壁の一辺がクローゼットになっているが、今は扉が開いてなかに入っていたものが乱雑に放り出されていた。デスクの引き出しも開けられ、文具やノート、パソコン類が床に散らばっている。唯一、なにもないのがベッドの上と椅子の上だけ。寝室には出窓があるが、白いレースのカーテンが引きちぎられ、隣のビルが見えていた。道頓堀川に面しているのは奥のリビングの方になる。

「あ、どうぞ、ベッドにお座りになられたら」

ハルカの視線で気を回した響子が手で示す。

「いいえ、大丈夫です。お気遣いありがとうございます。ところで、目撃された様子を聞かせてもらえますか、何度も同じことをいわせて申し訳ないんですが」

「は、はい」とちらりと出窓の脇に立つ四十代後半の女性を見る。視線を受けてすいと前に出てきた。

「英のマネージャーをしております緒方と申します」と名刺を差し出すと丁寧に頭を下げる。はいはい、とハルカが返事し、「えっと、やはり立っているのもなんなんで、座らせてもらいます。あ、緒方さんもどうぞ、この辺にでも」といって、ベッド足元側を手でぽんぽんと叩く。緒方は、苦笑いをしかけて首を振った。

響子の説明はよどみなく、そしてわかりやすかった。さすがは女優だけあって声も明瞭《めいりよう》で耳に心地いい。佐藤は、目の前にそのときの状況が鮮やかに浮かび上がるのを感じた。


〈つづく〉

おいち不思議がたり

誕生篇　第六回

あさのあつこ

Asano Atsuko

紅色《べにいろ》の幻《まぼろし》（承前）

仙五朗《せんごろう》と逢《あ》えたのは、数日の後だった。

空は濃灰色《のうかいしょく》の雲が覆《おお》い、今にも雨粒《あまつぶ》が落ちてきそうなのに、一向に降ってこない。その分、蒸し暑さが増していく。そんな不快な日だった。

さすがにこの蒸されるような暑さは、身重《みおも》の身体《からだ》にこたえる。

「おいち先生、それは、あたしたちがやってあげるから、ちょいと休みなよ」

長屋のおかみさん連中が気を利《き》かして、晒《さらし》の洗濯《せんたく》を引き受けてくれた。それで、おいちは一息つけたのだ。こういうとき、長屋住まいのありがたさを感じる。具合が悪い、米が買えない、子どもを預けたい等々、何か困り事ができたとき、必ず誰かが手を差し伸べてくれるのだ。菖蒲《しょうぶ》長屋にいる限り、お産はともかく、初めての子を育てる不安はほとんどない。老練な守《も》り役が何人も控えてくれている。

ただ、お腹《なか》は少しずつ、しかし、確かに重く大きくなる。今日のように、じめじめと蒸す日はつらい。そのつらさは、おいち一人しか引き受けられない。長屋の誰も、松庵《しょうあん》も新吉《しんきち》も代わりはできないのだ。

拭《ふ》いても拭いても滲《にじ》み出てくる汗を拭き続けながら、おいちはため息を吐《つ》いた。

身体がだるい。でも、いつまでも休んでいるわけにもいかない。こんな日は、昼過ぎあたりから患者が増えるのだ。しかも、お年寄りや幼い子が多い。暑さも寒さも湿気《しつけ》も、まず、弱い者を見極《みきわ》め、襲《おそ》い掛かる。無慈悲《むじひ》で厄介《やっかい》な相手だった。身重の女も〝弱い者〟の内に入るかもしれない。おいちはさほどではなかったけれど、悪阻《つわり》が重く身体の力を削《けず》られる者はかなりいる。悪阻を抜けた後も、身体の中で別の命を育《はぐく》むことは相当の重荷にもなる。

おかみさんたちが休めと言ってくれたのは、そのあたりをよく心得ているからだ。

ありがたい。

おいちは壁《かべ》にもたれ、目を閉じた。

せっかくのおかみさんたちの気遣《きづか》いだ。少し休ませてもらおう。

この数日、珍《めずら》しく眠りが浅かった。石渡塾《いしわたじゆく》で見た和江《かずえ》の姿が頭から離れないからだ。見たというより感じたという方が正しいのかもしれない。あれは、現《うつつ》の姿ではないのだから。でも、生々《なまなま》しかった。血に染《そ》まった生々しい姿……。震《ふる》えがくる。あの日、おいちは相生町《あいおいちよう》に仙五朗を訪ねた。

すんなり逢える……わけもなかった。

「おいちさん、ほんとにごめんなさいね。うちの人、今朝《けさ》まではいたんだけど、朝ご飯を食べてから行方《ゆくえ》知れずなんです。次はいつ帰ってくるか、とんと見当がつかないんですよ。当てがあるなら待っていてくださいとも言えるんですけどねえ。せっかく来てくださったのに、申し訳ないです」

女房《にようぼう》のおまきが何度も詫《わ》びるので、おいちの方が畏《おそ》れ入ってしまった。

「でもねえ。たいていは手下《てか》を使って、今どこにいるかを報《しら》せてきてたんですけどねえ。今のところ、それがないんですよ。かなり遠くに出かけてるのか、忙しく走り回っているのか、どっちなんでしょうかね」

おまきは仙五朗より一回り以上若く、髪結《かみゆ》いとして店を切り盛りしていた。人目を引く佳人《かじん》ではないが、清々とした美しい笑顔と声を持っている。江戸のどんな悪党、ごろつきも名を聞いただけで震え上がるという〝剃刀《かみそり》の仙《せん》〟。その凄腕《すごうで》の岡っ引が、唯一《ゆいいつ》頭の上がらない人だと、聞いている。

しっかり者のおまきは、おいちの訪問を必ず亭主に伝えてくれる。おいちとしては、仙五朗からの報せを待つしかなかった。

仙五朗が走り回っているのは、例の正助《しょうすけ》殺しの件でだろうか。いまだに、下手《げしゅ》

前回までのあらすじ

おいちは、江戸深川の菖蒲《しょうぶ》長屋で医師である父・松庵《しょうあん》の仕事を手伝いながら、石渡《いしわた》塾《じゅく》に通っている。そして飾り職人の新吉《しんきち》と結婚し、子供を宿す。伯母のおうたは、戌《いぬ》の日に帯祝いをすると張り切っている。ある日、六間堀《ろっけんぼり》で若い男の死体が見つかる。男の懐《ふところ》からは、新吉が通う「菱源《ひしげん》」の印が入った鑿《のみ》と風鈴《ふうりん》が出てきた。「菱源」の親方は、男は渡り職人の正助《しょうすけ》だと証言するが、新吉は疑念を抱く。一方おいちは、石渡塾で共に学ぶ和江《かずえ》が血飛沫《ちしぶき》を浴びている幻《まぼろし》を見てしまい、不吉な予感に苛《さいな》まれる。

人《にん》は捕《と》らえられていない。

それでなくても忙しい親分さんに、お手間を取らせちゃいけないのかも。

正直、おいちは迷っていた。仙五朗が追っているのは現の事件だが、おいちの見た和江は、おいちにしか見ることのできないものだ。現とどこでどう関《かか》わるのか、交《まじ》わるのか、答えようがない。

でも、でも、話しておきたい。親分さんに伝えておきたい。

そんな思案が眠りを浅くしてしまう。

何だか疲れたなあ。でも、お蔦《つた》さんたちのおかげで……ちょっと、眠れるかも……。

「おいち、おいち」

呼ぶ声がする。松庵のものだ。

「あ、はい」

患者だろうか。今日は兄さんもいるはずなのに手が足らないのかな。う〜、もうちょっと休んでいたかったけど。

「おいち、いるか。親分が来てるんだ」

目が覚《さ》めた。飛び起きる。同時に障子戸《しょうじど》が開いて、松庵の顔が覗《のぞ》いた。

「どうだ？　気分がよくないなら寝ていた方がいいと、うわっ」

松庵を押しのけるようにして、路地に出る。

「おいち、走るな。この馬鹿者が」

手首を摑《つか》まれ、怒鳴《どな》られた。

「まったく、おまえのその向こう見ずは誰に似たんだ。自分が今、どんな身体なのか考えられんのか。転《ころ》びでもしたら、どうする」

「……ごめんなさい」

おいちは素直に謝《あやま》った。いつもなら「向こう見ずで、慌《あわ》てん坊なのは父さん譲《ゆず》りに決まってるじゃない」ぐらいは言い返すのだが、今は自分の非を認めるしかない。

膨《ふく》らんできたお腹にそっと手をやる。

ごめんね。また、慌てちゃった。あんたに万が一のことがあったら、どんなに詫びても取り返しがつかないのにね。

くすっ。微《かす》かな笑声《しょうせい》が耳朶《じだ》に触れた。微風よりもさらに微かな音だ。

大丈夫。大丈夫だよ、おっかさん。

「え？」

思わず耳に手をやる。松庵が怪訝《けげん》そうに眉《まゆ》を寄せた。

「どうかしたか？」

「ううん、何でもないけど……あっ」

「今度は何だ。おまえ、ほんとに忙しいやつだな。そういうところは、義姉《ねえ》さんに似ていて」

「動いた」

「はっ？　動いた？　地震か？」

松庵が辺《あた》りを見回す。それから、首を傾《かし》げた。

「地面じゃなくて、赤ちゃんが動いたの」

「ええっ、赤ん坊が動いた！　いや、待て。それは早過ぎる。おれはお産の方は素人《しろうと》同然で、さっぱりわからんが、それにしても早過ぎる。赤ん坊が動くのは、もうちょっと大きくなってからじゃないのか。え、え、ほんとに動いたのか。ほんとか」

「動いたというか、お腹の中からそっと触《さわ》ったみたいに……感じたんだけど。感じただけで……つまり、気のせいかも」

「おいち、驚かすな」

松庵が長々と息を吐《は》き出す。

「おまえ一人の身体じゃないんだ。頼むから、ちゃんと労《いた》わってくれ」

「やだ、父さん。新吉さんと同じこと言ってる」

「新吉にとって、おまえは女房だし生まれてくる子は初子《ういご》だが、おれにとっては、おまえは娘で生まれてくるのは初孫だ。父親も祖父《じい》さんも気持ちは似たようなものさ。無事に生まれてきてもらいたいし、母子ともに健《すこ》やかであってほしい」

松庵の口調は医者のそれではなく、娘を案じる親のものだった。

「父さん、ありがとう。でも、心配しなくていいから。あたしがどれだけ丈夫かって、父さんが一番よく知ってるでしょ。ちょっとやそっとじゃ、まいったりしないから。あ、もちろん赤ん坊のことは気を付けます。走ったり、跳《と》んだりしません」

「おいち」

松庵の指に力がこもる。おいちの手首を強く握《にぎ》る。

「今までのようには、いかないからな」

「今までのようにって、どういう意味？」

父を見上げる。松庵は真剣なまなざしを向けてきた。

「おまえ、仙五朗親分に逢うために相生町まで出かけたんだってな。急な用事があったのか」

「あ……うん。急用ってわけじゃなかったんだけど、ちょっと相談があって、それで……」

「親分に相談ってことは事件絡《がら》みだな」

「え、あ、いや、そうじゃないの。あの、殺された正助さんて人とは関わりないことで」

「じゃあ、他の事件と関わりあるのか」

「いや、だから、あの、事件とかじゃなくて、ほんと、そういうのじゃなくて……」

「関わり合うな」

松庵の物言《ものい》いが険《けわ》しくなる。笞《むち》のうなりにも似た険しさだった。

「どんな事件にも関わり合うな。自分から近づくなんて以《もっ》ての外《ほか》だと心得ろ」

「父さん」

「おいち、おれは産婆じゃないし、当たり前だが子を産んだこともない。だけど、子を孕《はら》んだ女の身体がどれほど危《あや》ういか、少しは知っている。子が流れたために、自分の命を危うくした、あるいは失った患者を何人も見てきたんだ。無事に赤ん坊を産み落とすってのは、そうそう容易《たやす》いこっちゃない。命懸けの大仕事なんだ。だからな」

一瞬、松庵の口元が引き締まった。

「今までのように、厄介な事件に関わるな。自分と腹の子の安全だけを考えろ」

おいちは一度だけ深く頷《うなず》いた。

「父さん、わかってる。今、自分が何を一番に守らなきゃならないか、あたしだってわかってるの。心配しないで。自分やこの子を危うくするような真似《まね》は、決してしないから」

松庵の表情が緩《ゆる》む。ほっと小さな息が漏《も》れる。

「そうか、わかっているのならいいんだ。言わずもがなのことを言っちまったな」

「でもね、それとこれとは話が別なの」

「別？　おいち、おまえな」

松庵の前で、おいちはかぶりを振った。

「父さん、約束する。危《あぶ》ない所にも人にも物にも近づかない。けど、親分さんに伝えなくちゃならないことは、伝えたいの。伝えなくちゃ……ならないかどうか、はっきりしないんだけど、でも、あたしなりに考えて伝えるべきだって思ったの」

「おいち、おまえ、また、見たのか？」

松庵が身を屈《かが》め、おいちの顔を覗《のぞ》き込んでくる。

「ええ、見たの。しかも石渡塾で」

松庵の眉間《みけん》に皺《しわ》が刻《きざ》まれた。

「あたしが見たものが、どこにどう繋《つな》がるのかわからない。けど、今までそうだったように、人の生き死にに関わってくる気がするの。だとしたら、放っておけないでしょ。知らぬ振りして放っておいちゃいけないでしょ」

うーむと、松庵が唸《うな》った。

「その話、おれも聞かせてもらっていいな」

「ええ、もちろん」

もとより、そのつもりだった。胸に秘めておくものじゃない。ほんの限られた人たちだけにだけれど、伝えるべきときに、伝えるものなのだ。

ある意味、突拍子《とっぴょうし》もない現離れしたおいちの話を真剣に聞き、本気で思案の糧《かて》にする人たちがいる。それが、どれほどの幸せなのか、おいちなりに解《かい》しているつもりだ。だからこそ、その人たちを頼りとして、救える命があるなら救わねばならない。それは、医者が病《やまい》や怪我《けが》を相手に戦うのと同じ理屈だ。

人は無残に命を奪われてはならない。理不尽《りふじん》に生を毟《むし》り取られてはならない。

誰であってもだ。

腰高障子《こしだか》を開け、薬草《やくそう》の匂《にお》いに満ちた部屋に入っていく。

板敷《いたじき》で何か話し込んでいた仙五朗と十斗《じっと》が顔を上げる。

おいちは唾《つば》を呑《の》み込んだ。二人の顔つきがやけに強張《こわば》って見えたからだ。

「何か、あったんですか」

仙五朗が微かに笑った。

「やれやれ、おいちさんの目を誤魔化《ごまか》すのは、閻魔《えんま》さまを騙《だま》すより難しいようで。何もかも、お見通しってわけでやすか」

「そんな、見通せていたら尋《たず》ねたりしませんよ。でも、それ……」

おいちは、仙五朗の手許《てもと》に目をやった。

メスが握られている。

新吉が作った三本の小刀《こがたな》の内の一つだ。仙五朗の手の中でそれは鈍《にぶ》い銀色に光っていた。どうしてだか、悪寒《おかん》がした。身体中に滲んでいた汗が冷えていく。

「また一人、殺《や》られやした」

木箱にメスを仕舞《しま》いながら、仙五朗が告げる。十斗も松庵も既《すで》に聞いていたのか、表情はほとんど変わらなかった。

「誰かが殺されたと?」

仙五朗の前に座り、おいちは気息《きそく》を整えた。

「へえ、今朝、佐賀町《さがちょう》の外《はず》れで男の死体が見つかりやした。喉《のど》を真一文字《まいちもんじ》に切り裂《さ》かれて、血に塗《まみ》れていやしたよ」

「まっ、それは……」

「へえ、正助と同じでやす。あっしの見た限りじゃ、喉の傷も含めて、そっくりと言って間違いねえ」

「喉の傷って、匕首《あいくち》でつけられたものじゃないんですか」

「違《ちげ》えやす。松庵先生の見立てだと、これじゃねえかと」

仙五朗の指が木箱の横を軽く叩《たた》いた。

え。メス?

十斗の横に腰を下ろした松庵を見る。

「そうなんだ。今朝の殺しについちゃあ、おれは見てないから何とも言えないが、正助って男の傷は匕首や包丁《ほうちょう》でつけられたものじゃない。もっと細くて、切れ味のいい道具がつけたものさ。おれには、それがこれとしか思えなかった」

松庵は木箱に収まったメスに向け、顎《あご》をしゃくった。

「そんな、メスが殺しに使われるなんて」

おいちは口を閉じた。心《しん》の臓《ぞう》が大きく鼓動《こどう》を打つ。

どくっ、どくっ。

「おいちさん、どうしやした？」

「あ、いえ、あの……」

さっき、仙五朗はおいちの目敏《めざと》さを閻魔大王と比べた。しかし、仙五朗の眼力は浄玻璃《じょうはり》の鏡を凌《しの》ぐかもしれない。この男の前で、何事かを隠し通すのは至難《しなん》だ。もっとも、おいちには隠し通すつもりなど、端《はな》からなかったが。

「どうでもいいことなのですが、正助さんが殺された日の宵《よい》……あの日、ひきつけた子が運ばれてきたりして忙しくて、一段落したときにはもう日は暮れていて、それで、父さんがお腹が空《す》いたから稲荷《いなり》ずしを買いに行くとか言って……」

「いや、あれは、おまえが晩飯の心配をしたからだぞ」

「あれ、そうだったかな。すみません、話があちこちして、あの、そのとき、新吉さん、まだ帰ってなかったんです。だから、うちには明かりが点《とも》っていなくて、真っ暗で……そしたら、瞼《まぶた》の裏に浮かんだんです。銀色の光が」

銀の光の一閃《いっせん》。

見たというより、浮かんだ。ほんの刹那《せつな》だったが、鮮《あざ》やかに浮かび、消えていった。

「あのときは、それが何かわかりませんでした。でも、今なら……わかります」

箱の中に納まった一本のメス。その刃《やいば》の輝きだ。

おいちがそう告げると、仙五朗は箱の中に目を落とした。

「正助が殺された日におおいちさんは、こいつの放つ光を見た。そういうこってすね」

「はい。それだけじゃなくて、この前、美代《みよ》さんにメスを見せようとして箱に手をかけたとき、何というか……ぞっとするような、寒気《さむけ》みたいなものを感じました」

仙五朗は低く唸り、腕を組んだ。視線はメスに注《そそ》がれたままだ。

「いや、でも、これらは違いますよ」

十斗が悲鳴に近いひきつった声を上げた。

「これらは三本とも、ずっと箱の中にいました。間違いないです。わたしは日に何度も眺めたり、手に取ったりするのでそこのところは確かです」

「あった」ではなく「いました」と、十斗は口走った。

「それに、ほら、よく見てください。どれも綺麗《きれい》でしょ。僅《わず》かな染《し》みも曇《くも》りもない。喉でも腕でも他のどんな場所でも、人の身体を一度でも切れば、こんなに綺麗なままではいられません。改めて磨《みが》き直せば別ですが、それには、職人の技《わざ》がいる」

十斗は顔を紅潮《こうちょう》させ、必死にしゃべっていた。いつも落ち着いて、めったに情を揺らさない兄にしては珍しい。

「わたしの知らないうちに、箱から取り出して、使って、磨き直して、また収める。そんなことできるわけがないんです。あり得ません。あり得ませんよ、親分」

この子たちが罪を犯せるはずがありません。ずっと、わたしが傍《そば》にいたんです。この子たちは無罪です。咎《とが》などありません。

我が子を庇《かば》って、懸命に言い募《つの》る親みたいだ。仙五朗が苦笑する。

「田澄《たずみ》先生。あっしだって、殺しにこのメスが使われたなんて考えちゃいませんよ。あっしは医術には全《まった》くの素人でやすが、刃物なら多少の目は利きやす。一度でも人の血を吸った刃ってのは、それまでとは別の気配《けはい》を纏《まと》うようになるもんなんでやすよ。これらには、それがない。生まれたままのまっさらな様子をしてやす。三本ともね」

十斗は安堵《あんど》の表情になり、息を吐き出した。

「けど、二人の男の喉を掻《か》っ捌《さば》いた道具がメスなのは、事実のようなんで」

「つまり、この三本とは別のメスが使われたと、そういうことだな」

松庵が腕を組む。

「へえ、そうとしか考えられやせんからね」

「しかしな、匕首や包丁なら手軽に買えもするだろうが、メスとなるとそうはいかん。町中に普通に売っていたって代物《しろもの》じゃない」

「さいでやす。誰でも容易く手に入れられる物じゃありやせん。てことは、手に入れられる方法が絞《しぼ》られるってことでもありやす」

松庵の黒目が横に動く。

「て、ことは……」

「へえ、まずは松庵先生たちと同じ、お医者でやすかね」

「医者といっても、そう数は多くないと思います。このメスは新吉が作ってくれた、言わば大和《やまと》メスです。が、そんなものが世間に出回っているはずがない。阿蘭《オラン》陀《ダ》あたりから入ってきたものもあるにはあるが、高価で限られた者しか手に入らないはずだ。まして、本道《ほんどう》を生業《なりわい》とする漢方医《かんぽうい》なら全く縁がない者も多いでしょう」

十斗が身を乗り出す。普段は聞き役に回ることが多いが、今日は妙に口を挟《はさ》んでくる。

兄さん、このメスがよほど大切なのね。

小さな刀に魅入《みい》られたような兄が可愛《かわい》くも、おもしろくも感じてしまう。そして、兄をここまで夢中にさせる新吉の技に、改めて誇《ほこ》らしさを覚えた。

「でやすね。では、作り手はどうでしょうかね」

仙五朗が低い声で、言った。

「作り手？　新吉のような職人のことか。親分」

「へい。そうでやす。メスを作る職人の手許になら、当たり前でやすが本物がありやすよね」

「うーん、そりゃあ理屈かもしれんが、この国にメス作りの職人なんて何人いるんだ？　十斗が新吉のメスを大和メスと名付けて、いたく気に入っているが、ここまでの出来じゃないと……いや、ここまでなくともいいが近いものでなければ治療には使えないんだ。その新吉だって、飾《かざ》り職人であって、メスだけを作っているわけじゃない」

「そうですね。メスだけを作っている職人なんて、江戸にも長崎にもいないでしょう。だからといって、新吉のような飾り職人、あるいは刀鍛冶《かたなかじ》を当たるとすると、逆に途方もない数になりますよ」

松庵が首を横に振る。

「いや、飾り職人や刀鍛冶がみんな、これほどのものを作り出せるわけじゃない。作り出せる腕のある者だけだ。ごく限られてくると思うぞ」

仙五朗の双眸《そうぼう》が僅《わず》かに光った……ように、おいちには思えた。

「仰《おっしゃ》る通りで。つまり、人の喉を綺麗に掻き切れるだけのメスを作れる者は、そうそういるもんじゃない。その内の一人が新吉ってわけでやすね」

「親分さん！」

腰を浮かしていた。睨《にら》みつけたつもりはなかったが、仙五朗が首を竦《すく》める。

「おいちさん、そんな、おっかねえ顔しねえでくだせえ」

「すみませんね。生まれつき、この顔なんです。あたしの顔より、親分さん」

「へ、へい」

「親分さんは新吉さんを疑ってるんですか。あの人が人を殺したのではと、ちらっとでも疑ったんですか。どうなんです。しゃんしゃん答えてくださいな。だいたい、どういう料簡《りょうけん》で」

「いや、おいちさん、待って、ちょっと待ってくだせえ。あっしにもしゃべらせてもらいたいんで。あっしは、新吉を疑ったことなんざ、一度もありませんよ。神仏に誓《ちか》いやすが、ええ、一度もありやせんから」

「あら、そうですよね」

　おいちは口元を袖口《そでぐち》で覆《おお》った。

「親分さんが新吉さんを疑うわけがありませんよねえ。ごめんなさい、ほほ」

「おいち、正助が殺された夜、新吉は『菱源《ひしげん》』でずっと仕事をしていた。親方も一緒にな。つまり、六間堀《ろっけんぼり》で人を殺すなんて真似、したくてもできなかったのさ。そこんとこは親分も、ちゃんと調べ上げてるさ」

「調べ上げてる？　ま、親分さん、やはり疑ってたんですか」

「いや、違《ちげ》えやす。違えやすよ。松庵先生、おいちさんをわざと煽《あお》らねえでくだせえ」

　松庵が軽い笑い声を立てた。

「いや、すまんすまん。〝剃刀の仙〟がたじたじとなっている様なんて、そうそう拝《おが》めないからな。ははは、つい調子に乗っちまった。けど、親分が新吉の周りをあれこれ調べたのは、本当のことだろう」

「だから、そういう言い方は止《や》めてくだせえよ。人一人が殺されたんだ。誰であろうとことん調べ上げるのが、あっしの仕事でやすからね。それは、新吉が間違っても人を殺すようなやつじゃねえとか、女房を大切にして誠実に生きているとか、そういう類《たぐい》の現とはまた、別の話になりやす。だから、おいちさん、ご勘弁《かんべん》を」

「あ、勘弁だなんて。すみません、あたし、出過ぎた口を利いてしまって……」

仙五朗の生き方がどんなものか、ほんの一端《いったん》だが知っている。なのに、軽々しく責め立ててしまった。己《おのれ》の浅慮《せんりょ》が恥ずかしい。

「けど、もう一度、新吉を調べ直させてもらいやすよ」

俯《うつむ》けていた顔を上げる。

老練な岡っ引は、おいちではなく木箱を見ていた。

「あっしは、正助の周りをずっと探ってやした。どうしても行きずりの殺しとは思えなかったんで。それなら、まず正助が誰とどう繋がっているか知らなきゃなりやせん」

「はい」。おいちは頷《うなず》いた。仙五朗が丁寧《ていねい》においちに語り掛けていると察したからだ。

「けれど、さっぱりでやした」

「誰もいなかったんですか」

「へえ、いやせんでした。正助は『菱源』の近くの裏長屋に住んでやしたが、一人暮らしで家族どころか、誰かが訪ねてきた風もなかったんで。つまり、長屋と『菱源』を行き来するだけだったようなんでやす」

「確か流れの職人だとか聞きましたけれど」

「へえ、もともとは上州《じょうしゅう》の村の出だとか。十二になるかならずかで江戸に出てきて、通油町《とおりあぶらちょう》の飾り職人に弟子入りしたんだそうで。そこを兄弟子と揉《も》めて飛び出してからは、流れの職人として江戸内を転々としていたと、これは、『菱源』の親方から聞き取りやした。正助の釣書《つりがき》も見せてもらいやしたが、その通りでやしたよ。初めに弟子入りした職人の店にも行ってみやしたが代替わりをしていた上に、親方は既《すで》に亡くなっていて、正助のことを知ってる者は誰もいやせんでした」

ずい分と淋《さび》しい暮らしだったんですね。

喉元まで出かかった一言を呑み込む。

正助は家族もなく、訪ね合う相手もおらず、ずっと一人で生きてきた。そして、殺された。淋しくて、憐《あわ》れな一生だとも感じる。

でも、人の一生のありさまは、他人がこうだと決めつけるものでも、決めつけられるものでもない。傍目《はため》には黒く塗《ぬ》りこめられたと映《うつ》る正助の日々に、正助しか知らない光や喜びや楽しみがあったかもしれないのだ。

「天涯《てんがい》孤独か。まあ、江戸では珍しくはないな」

松庵がぼそりと呟《つぶや》いた。

「へえ、そんなやつはごまんとおりやすからね。けど、繫がってる人数が少ねえってことは、正体《しょうたい》を明かす伝手《つて》が少ねえってこってすからね。調べるのに骨が折れやすよ」

なるほど、老練な岡っ引はそういう向きから、天涯孤独という様を見るのか。憐憫《れんびん》も他の情も一切《いっさい》排し、探索と下手人捕縛《ほばく》のための道筋だけを追い求める。

ふと、おまきを思い出した。

生き生きとした、しっかり者の女房の前でなら、この岡っ引になるために生まれてきたような男はどんな顔、どんな姿をさらすのだろう。

「それで、佐賀町の仏《ほとけ》さんの方は身許が割れたのか」

松庵の一段と低めた声に我に返る。

そうだ、もう一人、人が殺されていた。

「へえ、こちらには女房、子どもがいやしたよ。平五郎《へいごろう》という瓦葺《かわらぶ》きの職人で、佐賀町の五徳《ごとく》長屋に女房と息子との三人暮らしでやした。息子はやっと襁褓《むつき》が取れたかどうかって齢《よわい》でやしたかねえ。お伊奈《いな》、その女房の名前でやすが、お伊奈によれば平五郎はたいそうな子煩悩《こぼんのう》で、暇《ひま》があればじゃなく、無理にでも暇を作って子どもの面倒を見ていたそうでやすよ。お伊奈は永代橋《えいたいばし》を渡って箱崎町《はこざきちょう》の料理屋に、女中奉公に通っているんでやすが、日が暮れても帰れないときは平五郎が飯《めし》を食べさせて、湯屋《ゆや》に連れて行ってと、甲斐甲斐《かいがい》しいと言えるぐらい細かに世話を焼いてたってこってす」

「ほんとうに細かに世話をしてくれました。甲斐甲斐しいって言えるぐらいです。母親のあたしでも、そこまでできないんじゃないかと思うほどなんです」

泣き腫《は》らした目で、お伊奈は告げた。その膝《ひざ》には父親を失った子が座っている。

仙五朗は素早く、部屋の中を見回した。

間口《まぐち》二間《けん》、奥行き三間の二階建て長屋だ。竈《かまど》も広めの流しもある。そこそこゆとりのある暮らしをしていたのだろう。平五郎は腕のいい職人だったのかもしれない。そのあたりは、これから調べ上げねばならない。

「お伊奈さん、ご亭主が亡くなったばかりで、さぞかし辛《つれ》えだろうが、話を聞かせてもらえるだろうか。それとも出直して来た方がいいかい」

お伊奈は大きくかぶりを振った。

「いいえ、親分さん、お気遣いなく何でも聞いてください。あたしに答えられることなら、何でも答えます。ですから、一日も早く、下手人を捕《つか》まえてください。一日も早く……」
「わかった。じゃあ遠慮なく尋ねるぜ。平五郎さんは昨日、一旦《いったん》、家に帰ってから
また出て行ったんだよな」
「そうです。いつもなら、この子の相手をしてくれるのですが、人と会わなきゃい
けないと言って、着替えてすぐに出かけていきました」
「誰と会うのかって、あんた聞かなかったのかい」
「聞きました。そしたら、昔の知り合いが上方《かみがた》から戻ってきたんで、一緒に酒を呑
むんだって……。遅くなるかもしれないから、先に寝ててくれって。あたし、ちょ
っとだけ驚いたんです。あの人の知り合いが上方にいたなんて知りませんでしたか
ら」
「あんた、所帯を持って何年になる？」
「三年です。あたしの奉公先に、あの人が屋根を直しに来たのが馴《な》れ初《そ》めでした」
「そうかい。三年の間に平五郎さんが昔の知り合いの話をしたことは何度かあった
のか」
「いいえ、一度もありませんでした。自分は天涯孤独な身で、知り合いもほとんど
いない。あたしたち家族だけが支えだって……支えができて嬉《うれ》しいって……」

「それが、ひょっこり、上方からの知り合いが現れたわけか」

「はい。でも、あたし、驚きはしましたけれど嬉しくもあったんです。一緒に酒を酌《く》み交《か》わすような知り合いがいたんだって。だから、今日の稼《かせ》ぎ分は全部、呑んでおいでよ。知り合いの人に江戸の酒を奢《おご》ってやりなって……笑いながら、送り出したんです。まさか、まさか、もう帰ってこないなんて、そんなことそんなこと、思いもしなくて……」

涙で荒れた頰《ほお》の上をさらに涙が流れていく。

「親分さん、お願いします。あの人の仇《かたき》をとってください。あの人、ほんとうにいい人なんです。信心も深くて、優《やさ》しくて……子どもが生まれてからは、仕事の行き帰りには必ず神社で手を合わせて、あたしたちの幸せを祈ってくれる。そんな人なんです」

そんな人なんです。

お伊奈は亭主をまだ生きている者として語っている。まだ死人にできないのだ。

「親分さん、あの人に殺されなきゃならないどんな理由もありません。これから、必死で働いて、もっといい暮らしをさせてやるからな。未来《さき》のことを考えて生きようなって……そんな、そんな優しい人で……どうして、どうして、こんなことに」

そこまでが精一杯だった。

お伊奈は幼い子を抱き締め、声を上げて泣き始めた。


おいちは膝の上の手を握り締めた。

会ったこともないお伊奈という女人《にょにん》。その人の悲しみや苦しみが伝わってくる。

もし、あたしなら……あたしが唐突《とうとつ》に新吉さんを失って、この子と二人で遺《のこ》されたとしたら、そしたら、どんな想《おも》いがするだろうか。

息が閊《つか》えるような心持ちがする。

しかし、それとは別に微かな引っ掛かりを感じた。

微かな引っ掛かり？　どこに、今の話のどこに引っ掛かった？

唇《くちびる》を噛《か》む。

どこに引っ掛かったか。思い至った。

「おいちさん、やはり引っ掛かりやしたか」

仙五朗と目が合った。「はい」とおいちは答えた。

「親分さんもですか」

今度は、仙五朗が静かに首肯《しゅこう》した。


〈つづく〉

PHPの本

渦の中へ

おいち不思議がたり

あさのあつこ 著

おいちの祝言の日に
浦之屋で起きた食あたり事件。
毒が盛られたらしく、
犯人が知人の
巳助と聞いたおいちは……。
人気シリーズ第六弾！

世界はきみが思うより

第六回　パウンドケーキ（後編）

寺地はるな
Terachi Haruna

「それはさ、やっぱまともな大人から見たら、そうなんじゃない」

一日置いたパウンドケーキは、しっとりとしているのに口に入れるとほろりとくずれた。皿の上の一切れをさらにフォークで四つに割った道枝《みちえだ》くんは「そうなんじゃないっていうか、そうなんだよ」と続ける。

「なにが」

「まったく、わかってないな冬真《とうま》は」

ぼくが道枝くんに「昨晩あかりちゃんについて話した際の母の反応」について話

したのは、こんなふうに子ども扱いされるためではなかった。たんに大人というものが時折見せる不可解な言動について「めんどいよな、あれ」という気持ちを共有したかっただけなのだ。なのに「わかってないな」とは。はあ？　意味わからんし、と顔を背けて牛乳を飲む。

今日は「遊び」ではなく、夏休みの課題を一緒にやる日だ。道枝くんは厄介な敵を先にやっつけておきたいタイプらしく「読書感想文から片付けよう」としきりに誘ってくる。暑いから嫌だと言うのに、道枝くんはパウンドケーキを食べ終えたら図書館に行くと言って譲《ゆず》らない。

「菜子《さいこ》さんはいつも言うよ。子どもに大人のかわりをやらせちゃいけないって」

料理なら、ぼくだって小学生の頃からやっていた。お腹が空いた時に母を待つより自分で用意するほうがはやい、と思ったからだ。道枝くんだって弓歌《ゆみか》さんのために料理をする。

「そうだね。でもぼくたちのケースとそのあかりちゃんって子は、違うんじゃない？」

「え？　どう違うの」

それはうまく言えないけど、と道枝くんは口ごもる。なんや自分でもよくわかってへんのかと呆《あき》れながら、ぼくはグラスに残っていた牛乳を飲み干した。

「冬真はどうだかわかんないけどさ。おれは、好きでやってることだし。弓歌や菜子さんが喜んでくれたら、嬉しい」

「ぼくも好きでやってる。趣味と実益を兼ねてってやつ。あかりちゃんもそうなんちゃうん。知らんけど」

「もし、そうじゃなかったら、どうする？」

どうする、と言われても困る。道枝くんはあかりちゃんがお父さんに強制されて家事をやっているとでも思っているのだろうか。

「ええ人やで。吉良《きら》さんは」

なぜかムキになってしまい、娘への賞賛と感謝の言葉が溢《あふ》れる吉良さんのＳＮＳを見せた。

「な？」

「な？　って言われても」

道枝くんは弱り切った顔で首を傾《かし》げ、この話題を断ち切るように「じゃあそろそろ行こうか」と立ち上がった。

図書館に行くには、まず大通りに出なければならない。外は身の危険を感じるような暑さだった。すこしでも日陰を歩きたいが、あいにく日陰がない。道枝くんは肌が白くて、ちょっとでも暑いとすぐに頬が真っ赤になる。

「ちょっと涼《すず》んでいかへん?」

首筋の汗をタオルハンカチで押さえながら指さしたコンビニから、小学生ぐらいの女の子が数人、もつれあうようにして出てきた。ひとりが「おもんな」と吐き捨てるのが聞こえた。べつの誰かがそれをたしなめるようなことを言い、三人の女の子たちは自転車にまたがる。彼女たちの自転車と離れた場所に停まっていた自転車に近づいていく女の子は、あかりちゃんだった。

「そんなん言《ゆ》うたらあかんって」

前回までのあらすじ

夏休みに入った冬真《とうま》と道枝《みちえだ》くんは、パウンドケーキをつくるため、スーパーマーケットに買い物にきていた。その帰り道、二人は近所に住む小学生のあかりちゃんが泣いているところに出くわす。涙の理由を彼女に尋ねると、夕飯の食材のためのお金をペンケースに使ってしまったらしい。あかりちゃんが早くに母親を亡くし、父親のために毎日料理をしている事情を知っていた冬真は、彼女に夕飯代を渡すことにした。

「だってあかり、いっつも断ってくるし」

「ちょっと、聞こえる」

「いいやん、もう。ね。三人でイオン行こ、なっちゃん」

自転車が遠ざかっていく。三人でイオン行こ、と言った子が振り返って、あかりちゃんに向かって目配せするのが見えた。「気にしないでね」と伝えたがっているようにも「そういうことだから、もうあんたは誘わないよ」と言いたがっているようにも見えた。

あかりちゃんは下を向いていたので、その目配せには気づかなかったと思う。あかりちゃんは下を向いたままポケットを探っている。カギが見つからないか、あるいは見つからないふりをしてこの場をやり過ごそうとしている。

「また会《お》うたな」

なにも見なかったふりで、声をかけた。あかりちゃんはぼくに一瞥《いちべつ》をくれただけで、なにも答えなかった。

「どっか行くの?」

「えっと、図書館」

長い沈黙の末に、そう呟《つぶや》いて下を向いた。

「そうなの？　おれたちもだよ」

いきなり道枝くんが会話に入ってきたのでぎょっとする。それはあかりちゃんも同様らしかった。ぼくと道枝くんを交互に見て、疑わしそうに首を傾げる。


大人のかわりをさせられてきた子どもは同世代の子どもと話が合わなくなる、というのが道枝くんの持論だった。図書館につくとあかりちゃんはぼくたちを置いてけぼりにして、さっさと雑誌のコーナーに向かった。

ぼくたちは読書感想文用の本を探すため「日本文学」の棚を目指す。図書館内を行き来する人びとは足音さえもひそやかで、すこしでも大きな声を出したらつまみ出されそうな気がする。小声で喋《しゃべ》るから、いつもより距離が近くなる。は行の作家の棚を見つめていた道枝くんが『水底』という本の背表紙に人差し指で触れた。

「これ、おれの母親」

唐突《とうとつ》にとんでもないことを言い出した。

「え？」

「おれの母親」

背表紙には「藤代結《ふじしろゆい》」という名が記されている。反射的に「うそやん」という声がもれたが、道枝くんがそんなつまらない嘘《うそ》をつく人間ではないことはちゃんとわかっていた。

「お母さん、作家なん？」

「そうだよ」

「なんで言うてくれんかったん？」

「いま言った」

「藤代結」の著作は棚に三冊並んでいた。いちばん新しいのは八年前の本で、道枝くんが言うにはこの本を最後に、新しい本は刊行されていないという。「菜子さんは道枝くんと弓歌さんのお母さんではない」という話は聞いていたが、くわしいことを訊いてよいのかどうかわからず、今日まで謎のままにしていた。

「離れて暮らしてるんやんな？」

「病気だからね」

身体がじゃなくて心のほうね、といつもよりすこし早口で言ってから息を吐く。

「じゃあ、菜子さんって道枝くんたちの何なん」

ずっと気になっていたことを、今やっと訊ける。

「父の妹」

「叔母《おば》さんってことか。あれ、え、ていうかお父さんはおるんやな？」

「うん。母に付き添ってる。なんていうか、ぼくたちがいると、母は様子がおかしくなる。小説が書けなくなる。どうしてかはわからない。父とふたりならすこしはましになる。だから離れて暮らすために、ぼくたちは菜子さんに預けられた。菜子さんは翻訳の仕事をしてて」

「ちょっと待って、菜子さんってそんなかっこいい仕事してんの」

「かっこいいかどうか知らないけど、そうだよ」

作家の妻と翻訳家の妹を持つ道枝くんの父なる人物が気になったが、今くわしく聞いても脳がこんがらがるだけだと思ったのでやめておいた。

「前は福岡におったんやんな？　なんでそんなに何回も引っ越ししてたん？」

「ああ、それは弓歌の病気のために」

なにしろ治療法が見つかっておらず、専門にしている医師もいない。すこしでも良さそうな病院と医師をもとめて、自然とそうなったと言う。なるほど、と言いはしたが、実際にはまったくなるほどとは思えなかった。道枝くんが「納得いかない、って顔してるね」と笑いながらぼくの肩を小突いた。

「ようわからへんけど、なんていうか、親ってもっと自分自身のことより自分の子どものことを優先させる生きもんやと思うから」

「そりゃ、冬真はそう思うだろうね」

おれ冬真見てると思うよ、と道枝くんは『藤代結』の三文字を見つめながら呟く。その横顔からはなんの感情も読み取ることができない。

「冬真ってずっとあのお母さんに大切に守られて、愛されて育てられてきたんだろうなって感じするもん」

「あ……うん」

「嫌味とかじゃないよ。おれは好きだよ、冬真のそういうとこ。でもね、うちの両親は違うから。おれたちにたいする愛情がないわけじゃないんだと思う。でも、あの人たちにはなんていうか、ふたりだけの世界がある。血を分けた子どもでも入れない世界ができあがってる。そういう親もいる。そこをわかってほしい」

「わからへん」

そうかあ、と道枝くんは笑った。そんな顔するぐらいなら泣くか叫ぶかするほうがましなんちゃうん、と言いそうになるぐらい苦しそうな笑いかただった。もうこれ以上は話を続けるつもりはないらしい。中腰になって「おもしろそうな本、あるといいな」と棚の下のほうを物色しはじめた。

「そうやな、あるとええな」と同意しかけて、そのままかたまってしまった。道枝くんの頭越しに、棒立《ぼうだ》ちになってこちらを見ている女の人が見えたから。

名前はもう覚えていない。高木《たかぎ》みつきさんのいとこだという、あの人。国際交流プラザで働いていて、道枝くんに女装させて勝手に写真を撮った人が、なぜここにいるんだろう。女の人は青ざめた顔を背けて、足早にその場を立ち去ろうとする。

幸運にも道枝くんはそのことに気づいていない。

「道枝くん、ぼくトイレ」

返事を待たずに、早足で後を追った。図書館を出ようとする彼女に追いつき、背後から肩を摑《つか》んだら、「ヒッ」と息を呑《の》む音が聞こえた。

「ストーキングとかしてます?」

言葉を選ぶ余裕がなかった。この人はぼくたちのあとをつけてきたんだろうか。

「違います」と言う声は震えていて、嘘をついているようには見えないけれども、こんなところで偶然会うなんてありえない。

「じゃあ、なんで逃げるんですか」

「だって道枝くん、わたしに会いたくないと思ったから」

あたりまえだろ、と思ったが、口には出さなかった。女の人に泣きそうな顔で俯《うつむ》かれたら、もう黙るしかない。こういうのは、ちょっとずるい。

「ケイ、どうしたの?」

大きな声が響いた。明るくよく通る声だったが、決定的に場違いな声だった。その場にいた数人がとがめるような視線を送ったのがわかる。

日本人ではない、とひと目見てわかった。信じられないぐらい顔が小さくて、きれいな女の人だった。黄色いスポンジのキャラクターが描かれた赤いTシャツを着た彼女は、数冊の絵本を小脇に抱えている。

そうだ、思い出した。高木みつきさんが「いとこのけいちゃん」と呼んでいた。それに国際交流プラザに行った時名札に「けい」と大きく書いてあったのも見た。その下に小さく「高木桂　Kei」とも。「ジャスミン」と高木桂が声の大きさをとがめるように人差し指を口もとにもっていく。

「読んでみたい本、あった?」

ジャスミンと呼ばれた彼女は、ぼくと高木桂を交互に見て、きゅっとかたちのよい眉をひそめた。そしてぼくに摑みかからんばかりに早口でなにごとかをまくしたてた。さっきとがめるような視線を送ってきた人たちが、いっせいにぎょっとした顔をする。高木桂はあわててそれを制し、ぼくに向き直った。

「この人、ジャスミンっていうんですけど、日本語の勉強中なんです。絵本を読むっていうから、連れてきたんです」

「ほんとうですか？」

「わたし、ストーキングなんかしません」

ジャスミンさんの言っていることはやっぱり聞き取れなかったけど、怒っていることはわかった。

「え、あ……じゃあ、すみません」

周囲の人の視線が、今度はぼくに向けられているような気がする。いたたまれなくなってきて、俯いた。

「謝る必要はないです」

高木桂が肩をすくめる。ジャスミンさんに向かって、英語でなにごとかを言った。ぼくのリスニング力がたしかならばおそらく「向こうで待っててね、心配しなくていいよ」みたいなことだ。ジャスミンさんはなおもぼくを睨《にら》みながら、ゆっくりと絵本のコーナーに向かっていく。謝らないで、と高木桂は言い直した。

「わたしだって、あなたと同じ立場なら同じことをします」

「え」

「正確に言うと、同じことができるような人間になりたい、です」

深く頭を下げ、高木桂は彼女の後を追った。「日本文学」のコーナーに戻ると道枝くんはまだしゃがんだままの体勢で本を開いて読みふけっていた。


雑誌の棚の前には六角形の、背もたれのない大きな椅子があった。六人座ると苦しそうだが、三、四人なら余裕だ。あかりちゃんは小学生にはちょっとはやいんじゃないかなと思うようなファッション雑誌を眺《なが》めていて、近づいてきたぼくと道枝くんに気づくと「もう帰る?」と残念そうな顔をした。

「まだ読んでる途中?」

「うん」

「じゃあ、もうすこしここにいよう」

安心したように、ふたたび視線を雑誌に落とす。奇抜な形状のバッグやTシャツが紹介されているページを食い入るように見ている。時計を見ると、正午過ぎだった。あかりちゃんはお弁当を持ってきているという。図書館内は飲食禁止だが同じ建物内に誰でも休憩ができる部屋があり、そこで食事をすることができるらしい。おれらもなんか買おうよ、と道枝くんに誘われ、近くのコンビニでサンドイッチを買った。代金は今朝母から当座の食事代として渡された五千円札で払った。

あかりちゃんのお弁当はミートボールとたまごやきとごはんのみという、シンプルなものだった。こっそり吉良さんのSNSをのぞいたら、今日のお弁当が投稿されていた。そちらにはミートボールとたまごやきだけではなく、プチトマトとアスパラが彩《いろど》りを添えている。もしかしたらあかりちゃんがたんに野菜嫌いなだけかもしれないが、家に来ていた頃はなんでも好き嫌いなく食べていたような気もする。

休憩室でサンドイッチを食べながら、さっき高木桂が言ったことについて考えた。わたしがあなたでも同じことをする、という、あの言葉だ。

道枝くんを守りたくて、とっさに身体が動いた。高木桂はいまだぼくにとっては得体《えたい》のしれない、なにをしでかすかわからない女だった。でもあのジャスミンさんという人にとっては、おそらく大切な友人なのだと思う。だから、とそこまで考えて思考がとまる。だからなに？　しょうがない？　違う。わからない。わからないから、そのままにしておいた。道枝くんが「食欲ないの？」と心配そうな顔をするから、「ちょっとぼーっとしとっただけ」と笑って、手の中に残っていたサンドイッチの残りを口に押しこんだ。

図書館から帰る頃には、道枝くんとあかりちゃんはすっかり打ち解けていた。歩きながらとつぜん「も」と「ぴ」を入れ替えて喋る、という謎の遊びをはじめ「モンク色」とか「あ、電話かかってきた。はい、ぴしぴし」とか言い合って笑っていた。傍《はた》で聞いているぶんにはちっともおもしろくないのだが、当人たちにとってはこのうえなくおもしろかったらしく、肩をふるわせたり涙を流したり、しまいには笑いすぎて歩けなくなってしまう始末だった。

「なにがそんなにおかしいの」

道にしゃがみこんで笑っているふたりを「はよ帰るで」と急《せ》かしながら、ようやくあかりちゃんの家の前までたどり着いた。

「じゃあね」

「あ」

あかりちゃんはなにか言いかけて、首を横に振る。あ、の後になんと続けようとしたのだろう。ありがとう？　それとも、明日も遊べる？　結局あかりちゃんは「ばいばい」と言って、家の中に入っていった。玄関脇の窓から光が漏《も》れていて、大人用の自転車が停まっている。お父さんがすでに帰ってきているのだろう。

「楽しかったね」

道枝くんがまだ明るい空を見上げて言う。そんなふうに言われると、いろいろあったけど良い一日だったような気がしてくる。

インターホンが鳴ったのは、夜の九時頃だった。小さな画面の中にあかりちゃんと、あかりちゃんのお父さんの姿があった。驚いて迎え入れると、あかりちゃんは目と鼻を真っ赤にしていた。さっき画面越しに見た時には、まったく気づかなかった。

どうしたんですか、と言うぼくを制するように、吉良さんは封筒を持った片手を上げ、ぼくにむける。もう片方の手には半透明のゴミ袋が握られている。あ、吉良さんが白い封筒をぼくに押しつける。中を見ると、千円札が入っていた。あ、ばれてしまったんだんだな、と思う。あかりちゃんと目が合わせられなかった。

「お世話になったみたいで」

「いえ、べつに」

どうしても、吉良さんが下げている半透明のゴミ袋を見てしまう。お菓子のパッケージ型のポーチが入っているのが見えた。他にも、カラフルなバッグらしきものや、アニメのキャラクターが描かれたポーチや本が入っているようだ。吉良さんが「ハッ」と肩を揺すって笑った。こんな嫌な笑いかたをする人だっただろうか。あかりちゃんが怒鳴られたみたいに肩をすくめる。

「きみも借したお金がこんなもんを買うのに使われたら、腹立つよな」

腹は立ちません、と急いで訂正した。吉良さんが呆れたように首を横に振った。

母が居間から出てきた。

「なにごとですか」

母のきびしい表情にも、吉良さんは動じる様子がない。

「あかりが、夕飯代をごまかして買いものしてたんです」

胸に手を当てる吉良さんは同級生の悪事を先生に密告する小学生のようだった。

母が「はあ」などと鈍い返事をする。

「こんな雑誌の付録みたいなものとか、漫画とか」

母はこめかみを人差し指で掻いて、また「はあ」と呟く。

「まあ、小学生の女の子やからね。欲しいものぐらいたくさんあるでしょう。わたしなんか四十代になっても物欲《ぶつよく》の鬼ですけど」

「欲しいものって……おこづかいはちゃんと渡してます。買いものするなって言ってるわけじゃないんです」

物欲の鬼云々《うんぬん》はあっさり無視された。母が肩をすくめる。

「おこづかいで買えないようなものでも、言ってくれたらちゃんと買ってやります。そうだよな、あかり」

あかりちゃんがぐすんと鼻を鳴らしながら頷《うなず》く。

それをこんなふうにこそこそ、と息を吐いた吉良さんはゴミ袋を高く持ち上げ、

「部屋の押し入れに入ってたんです。隠してたんです。それは悪いことをしているっていう自覚があったからです。親に嘘をついてたんです。だから怒ってるんです。ね、あかり。これはだめ。冬真くんにお金まで借りてさ。お父さん恥ずかしいよ」

「吉良さん、どうぞ中に」

母が居間のほうを指し示す。いえけっこうです、と吉良さんが首を横に振る。

「お金を借りたって言うんで、返しにきたんです。それだけなんで、ほんと」

「だめです」

母は裸足《はだし》で玄関に飛び降り、ドアの前に立ちはだかる。

「なんなんですか、ちょっと」

吉良さんの眉間《みけん》にぎゅっとしわが寄った。

「吉良さん、今どう見ても冷静じゃないもん。このまま帰るなら、わたしは吉良さんをぶん殴《なぐ》りますよ」

母の全身からは「本気」がオーラみたいにほとばしっていた。母は昔から脅《おど》し文句を口にするということがなかった。その母が「ぶん殴る」と言ったのなら、それはもうそのままの意味だということだ。

あかりちゃんが「おばちゃん」と不安げな声を発した。

「お父さんのこと、殴らんといて」

吉良さんは困ったようにあかりちゃんを見て、それから肩を落として息を吐いた。

「わかりましたよ」

吉良さんは渋々と言った様子で靴を脱ぎ、あかりちゃんもそれに倣《なら》う。

「冬真、あかりちゃんと二階におってくれる?」

母が小声で言い、ぼくは首を横に振った。

「嫌や」

「冬真」

「あのさ、当事者を蚊帳《かや》の外に置いたらあかんのちゃう」

さっきはひたすらあっけにとられていたのだが、遅まきながらぼくの心にも吉良さんへの怒りが芽生えはじめていた。あかりちゃんがやったのはたしかにあまりよくないことかもしれない。でも、あんまりじゃないのか。あかりちゃんが買ったものを無造作にゴミ袋につっこんで、わざわざぼくにお金を渡すところを見せたりして。うちまでわざわざやって来て勝手にべらべら喋ったあげく「このあとは大人だけで」だと。

母は腕組みして、しばらくぼくを検分するかのように見ていた。

「言いたいことはわかるけどね。けどね、大人には大人同士の話があんの」

「子どもにはそれを聞く権利があるんちゃう？」

母が低く唸《うな》る。ぼくのほうに身を寄せて「なら、廊下で聞いてなさい。こっそり」と囁《ささや》き、居間のドアを閉めた。

あかりちゃんと視線を交わし、廊下に並んで体育座りの体勢で待つ。ドアの向こうでは沈黙が続いている、と思ったら母がだしぬけに「プウンドケーキ」と言い放った。

「はあ？」

吉良さんの声は棘《とげ》でも生えていそうに鋭《するど》く、冷たい廊下に響き渡った。

「冬真がね、小さい頃にそう書いてたんです。あの子、昔から料理とかに興味があってね。レシピをノートに書き写したりとかして」

「なんの話ですか、いったい」

「わたしね、みんなに冬真のこと話すのが好きでした。けなげやね、いい子やね、ってほめられるたびに、そうでしょそうでしょって。うちの子は最高やねん、親思いでしっかりしてて、ほんまにええ子やねん、って」

「なんなんですか、ほんと」

でもね、と母の声が低くなって「それでよかったんかな、って思うんです」とまた大きくなった。廊下にいるぼくたちに気をつかったのかもしれない。

「わたしの親としての自己満足に、あの子をつきあわせたような気がしてます。あの子に、甘えすぎた気がします。子どもが子どもとして過ごせる大切な時間を奪ったような気がする」

数秒の沈黙ののち、「吉良さんはあかりちゃんに毎日お弁当つくらせてるんですよね」という言葉が続いた。それは、と吉良さんが口ごもる。

「あかり本人がやりたいって言ったんです、それは」

居間の会話が途切れる。そうなん？　と小声であかりちゃんに訊ねると、何度も頷く。お父さんが喜んでくれるから、とぼくよりもさらに小さな声で教えてくれた。喜んでくれるから、また作ろうと思った。それが、いつしか日課になった。今も毎日「ありがとう」と言ってくれる。ほめてもくれる。そういう意味のことを、とぎれとぎれに。

ありがとうと言われたいからがんばった。それはなにもまちがっていない。でも。

ねえ吉良さん、と母が言った。

「子どもは、がんばるんです。親の喜ぶ顔が見たいから、すごく、がんばってしまう」

母が静かな声で言った。

「そして親は、それに甘える」

「ぼくがあかりに甘えてるって言うんですか。だめですか。娘に弁当をつくらせるのは、そんなに悪いことですか？」

「悪いなんて言ってません」

「いや言ってるじゃないですか」

吉良さんの声が震えている。もしかしたら、泣いているのかもしれない。ぼくは、という声が悲痛に裏返った。

「ぼくは自分が楽をするために、あかりに家事をやらせてるわけじゃない」

「はい」

母は冷静に、あるいは冷静であろうとつとめているような声で答える。

「あかりに、あかりに生きる力を身につけてほしいから」

「はい」

そのあとの会話は、よく聞こえなかった。

あかりちゃんが膝《ひざ》を抱え直す。お父さんのこと好き？　と訊いたら、大きく頷いた。自分で聞いておきながら、なんやその質問は、と鼻白《はなじろ》む。嫌いだ、なんてこの状況で言えるわけがない。

「ぼくも基本好きや。お母さんのこと」

でもふつうにイラっとする時あるし、むかつく時もあるし、顔見たくない時もある、と続けた。

「親に話したくないことも、話されへんことも、いっぱいある。自分の弁当作ったりすんの、楽しいけど、今日はさぼりたいって日も、いっぱいある」

あかりちゃんは黙ったまま、しばらく首を傾げていた。居間からはすすり泣くような声が聞こえ続けている。

「わたしもある」

みょうにはっきりした口調で、あかりちゃんが言う。やっぱそうやんな、とぼくが笑ったら、あかりちゃんもかすかに唇《くちびる》の端を上げた。

感謝が相手を縛ることもある。

「冬真くん、前に『学校は楽しくない』って言うたよね」

わたしが一年生の時、と言って、あかりちゃんがかすかに肩を揺らした。

「え」

なぜだか、誰もが小学一年生を前にすると、同じことを口にする。「学校、楽しい？」という質問だ。ぼくも何度となく訊ねられてきた。

あかりちゃんはその質問に答えることができなかった。楽しくないけど、訊く人は「楽しい」という返答以外は望んでいないように感じた。

楽しくない自分はおかしいのかもしれないとも思った。もっとつたない表現だったが、要約するとそういう意味のことをあかりちゃんは話してくれた。それである時、ぼくに同じ質問をしてみたのだと。覚えてるよ、と頷いた。正確には、思い出した。

「ぼく、『楽しいわけないやん』て言うたよな。ごめんな。なかなかネガティブな返答やったな」

　あかりちゃんは首を横に振る。ほっとしたんや、と。

「ほっとした？」

「あ、そういうこと言うてもええんや、って。ほっとした」

　居間のドアが開いて、母が顔を出した。

「入っていいよ」

　あかりちゃんと視線を交わし合い、立ち上がる。

　入っていくと、目を真っ赤にした吉良さんが「あかり」と呼んだ。あかりちゃんも「お父さん」と応じる。それ以上の会話はなかった。たぶん今は、それでじゅうぶんなんだろう。

「なあ聞いて冬真。わたしな、最高のアイデアを思いついてん」

　母はなにやら不敵な笑みを浮かべ、ぼくに話しかけてくる。吉良さんが所在なさげに頭を掻くのを、視界の端でとらえた。


　一週間後、ぼくと母は吉良家を訪れた。なぜか、道枝くんも一緒だ。母は乾物の袋やらツナ缶やらをつめこんだエコバッグを提げ、意気揚々とインターホンを鳴らす。エプロンを身につけた吉良さんが出迎えてくれた。

母の最高のアイデアとは「おかずシェアの会」を発足する、というものだった。

一週間に一度集まり、ひとり数品の料理を作る。あるいは持ち寄る。それを半分こすれば倍のおかずが集まる、という算段で、メンバーを増やせばおかずの種類はさらに増えるというわけだ。六人ならひとり一品でも六品揃《そろ》う。もともとは職場の人とのあいだでそんな話が出ていたらしい。相手が退職してしまったので立ち消えになったけれども。

「ひとりでいろいろつくるよりは楽ですよ。どうです？」

でもそれではかえってあかりに負担が、とおろおろする吉良さんに、母は呆《あき》れた顔を向けた。

「なに言ってんの？　吉良さんがやるんですよ」

あかりちゃんがこれからも料理をしたければ、もちろんすればいい。吉良さんの言うような「生きる力」のひとつになるだろう。でも役割として固定してしまえば、ひずみが生じる。

あかりちゃんがこれまでどおり家事をするというのなら、せめて吉良さんも同等の能力を身につけるべきだ。「生きる力」が必要なのは大人だって同じだ、甘えるんじゃねえ。もちろんそうは言っていないが、まあ要するに母はそういうことを言いたかったのだという。大人が子どもに甘えてどうするんだ、と。

「じゃ、さっそくこれ混ぜてもらえます？」

母は卵の入ったボウルを吉良さんに押しつける。吉良さんがおずおずと菜箸《さいばし》で卵を割りほぐすのを、ダイニングテーブルに肘をついて眺めているあかりちゃんはなにやらずっとにやにやしている。

「楽しそうやな」

隣の椅子を引きながら声をかけると、あかりちゃんは「うん、楽しそうやね」と頷いた。自分の父親の姿が「楽しそう」という意味に受け取ったらしい。ちがうよきみのことやで、と言おうとしたけど、嬉しそうに笑い続けていたから、黙っていた。

テーブルいっぱいにおかずが入った保存容器が並ぶ。ひじきと大豆の煮ものとつくねの照り焼き、正方形に切り分けたスパニッシュオムレツなどがつぎつぎとできあがっていくのを、ぼくたちは興味深く眺めた。

「なんというか、ありがたいというか、もうしわけないというか」

吉良さんは身体を縮こまらせながらメモを取っている。母はこともなげに「フン、べつに吉良さんのためじゃないんで」と言い放った。

「菜子さんが、おかずシェアの会に興味持ってました」

台所で母と吉良さんの作業に見入っていた道枝くんが言い、母が「あら、大歓迎よ」と答える声に、インターホンの音が重なる。あかりちゃんが勢いよく立ち上がった。今日は友だちと遊ぶ約束をしたのだそうだ。

「行ってらっしゃい」

「気ぃつけて」

「水分とらなあかんで」

「車に注意して」

大人ふたりとぼくと道枝くんの声が重なる。しばらくすると、居間の窓の向こうを二台の自転車が通り過ぎていった。あれはこのあいだコンビニにいて、振り返って目配せしていた子じゃないかなと思ったけど、確証はない。そしておそらく、それはたいした問題ではなかった。

窓を開け、首を伸ばして、自転車を見送る。二台の自転車はうんざりするような暑さをものともせずまぶしい夏の光の中をぐんぐん進んでいって、あっというまに見えなくなった。

〈つづく〉

桜風堂夢ものがたり2 第七回

第一話 秋の旅人（中編その2）

村山早紀
Murayama Saki

　秋の夕暮れは、降るように訪れて、幕を下ろしたように暗くなる。

　特に今夕は、嵐の合間の束の間の晴れ間でのこと、ちょうど不穏な雲が空に帰ってきたこともあって、空は一気に闇に包まれた。

　妙音岳《みょうおんだけ》をのぼる、町営のマイクロバスは、下の街の明るい商店街をゆったりと走り抜け、暗い山の方へと向かってゆく。

　運転席にいるのは、老いたりといえど、そのぶんキャリアも長い、桜野町在住の運転手だ。大手のバス会社に長く勤め、引退した後、故郷の町で庭先に鶏など飼いつつのんびり暮らしていたところを、他の運転手候補とともに町からスカウトされ、第二の人生を歩むことになったひとだった。台風の名残《なごり》の雨風がぱらぱらと窓ガラスに当たるいまも、余裕ありげに手袋の手でハンドルを握っていた。

これが今日最後の山の上に登るバスだということもあって、乗っている乗客はといえば、ほぼ桜野町に住まうひとびとで、透《とおる》にとっては近所のひとだったり、お店のお客様だったりと顔馴染みのひとばかり。街で働くおとなたちや、バイト帰りの大学生などなどだ。

その中に交じって、透たち中学生もバスに乗り込むと、おとなたちは、おや、こんな時間に、というように視線を向けた。

楓太《ふうた》が「台風で、いままで学校に残ってたんです」と、みんなの方を見回して、笑顔で説明すると、おとなたちはそれぞれにうなずき、なるほど、酷い台風だったものね、というように、姿勢を戻した。

そして中学生男子三人組は、いつものように後部座席に並び、いつものように——会話が弾むかと思いきや、おとなばかりの夜のバスの雰囲気はいつもと勝手が違っていて、特に口を開くこともなく、姿勢をちゃんとして静かに腰をおろしていた。

バスに乗っていたのは、透たち三人だけではない。葛葉千晶《くずはちあき》も一緒だった。謎の多い転校生は、透たちからふたつばかり前の席にひとり座って、窓の外の、流れて行く街の夜景を見つめているようだった。

夕方が近づき、雨風もやや落ち着いて、そろそろバス停に行こうか、と透たちが中学校の図書館を出ようとしたとき、千晶も同じタイミングで読んでいた本を閉じた。

聞くと、自分も桜野町方面行きの、同じマイクロバスに乗って家に帰るのだという。

桜野町の新しい住人なのだろうか、ようこそ、我らの町へ、と、透たちが盛り上がりかけたとき、千晶は、「違うの」と、首を横に振った。

降りるバス停も違う。透たちが降りる「桜野町」ではなく、そのひとつ手前のバス停、山を登る道の入り口近くにある、「妙音岳入り口」だといった。

それは山と野原だけ続くあたりにぽつりとある、周囲に何もないバス停だ。バスはそこを通り過ぎると、終点「桜野町」のバス停まで登る。町には小さな車庫と事務所があり、マイクロバスは翌朝の始発の時間まで、そこで休むのだ。

「え、いまから、『妙音岳入り口』に――あのバス停に行くの？」

楓太が声を上げた。「あそこは山菜採りや山登り、山の神社や祠《ほこら》を巡るひとたちのためにあるバス停だよ。バス停の名前を覚え違えてるとか、そんなことない？」

透も思わず、うなずいた。あのバス停は、昼間でも人通りのない、ただ鬱蒼《うっそう》と緑が茂り、野鳥たちや野の獣の声がかすかに響き渡るような、人里離れたところだ。

楓太たちと一緒に自転車で山を走っているときに、ここにバス停があるんだよ、と教えられたこともあるし、祖父とふたりで山菜を採りに行くとき、桜野町からバスに乗って、そこで降りたこともある。桜野町のバス停からは、ほんの一駅のはずなのに、そこは田舎のこと、バス停とバス停の間の距離が長かった。

当然、街灯もないような場所だから、そのバス停の辺りは、このバスが着く頃には、とっぷりと闇が満ちているに違いない。ましてや、嵐の後の山中だ。不気味な音を立てて、まだ風は辺りを吹き荒れているだろう。雨もぱらついているかも知れない。雲がかかって、月の見えない夜だから、鼻をつままれてもわからないくらい、真っ暗になるかも知れない。

間違えても、中学生がこんな時間にひとりで降りたって良いようなバス停だとは思えない。少なくとも、透は自分が、ひとりでそこにいるところを想像するだけでぞっとした。

千晶は何も答えずに、

「バスが来るわよ」

というと、先に立って廊下を歩き始めた。階段を降り、校舎を出ると、まるでバス停の場所を知っていたかのように、まっすぐに大通りのその場所に行き、並んでいたおとなたちのあとに立った。

透たちは顔を見合わせたけれど、素直に自分たちもバス停に並んだ。

（きっと先生から、バスのこともバス停のことも聞いていたんだろう）

千晶は賢くて気が利いていそうだし、それくらいのこと、ちゃんとできていそうだ。

透はそう考えたし、友人ふたりも同じように思ったのだと思う。

それ以降、千晶から特に何も訊くことなく、やがてやってきたバスに乗り込んだ。

乗るときに、楓太が透と音哉《おとや》に向かって、

「妙音岳のバス停から車でちょっと行ったところに、小さな古い集落があるといえばあるんだ。そこに引っ越してきたんじゃないかな。

きっと、バス停まで、家族が迎えに来るんじゃないの?」

どこか自分にいいきかせるように、うなずきながら、そういったのだ。


雨で濡れているひとが多かったのだろうか、バスの中にはじっとりと濡れた服の匂いが漂っていた。

晩秋の夜のこと、バスには暖房が入っていて、座席から伝わってくる、心地よいぬくもりと揺れの中で、透は眠気が差してきた。横を見ると、友人ふたりもうつむいたり、あくびしたりしているようだった。

他の乗客たちも、それぞれの席で船を漕いでいるようだ。

(無理もないか)

透も小さくあくびをした。一気に通り過ぎた台風のせいで、みんな疲れているのだ。おとなたちは仕事も忙しかったろうし。その内容によっては、天候の関係で大変だったりしたかも知れない。

見知った顔ばかりのバスの中で、近くの席のおとなが、缶ビールを開け、透が見ているのに気付くと、軽く苦笑して口をつけた。

透はもちろん、お酒の味は知らないけれど、ああ、いっぱいやりたい気分だったんだろうな、と思った。


うつらうつらしていると、ふと思い出す。

さっき図書館で聞いた、千晶の言葉を。

謎めいた美しい転校生は、そっと透の耳元にささやいたのだ。

「あなたと話してみたかったの。何か不思議な感じがする男の子だったから」


(どういう意味だったんだろう?)

突然、物語の中の出来事のような言葉をささやかれたから、驚いて何もいえなかった。

(ちょっと訳がわからないよ)

(もしかして、何かの聞き違い?)

あのときは、耳たぶがさあっと熱くなって、ただ目の前の千晶を、まばたきしながら見ることしかできなくて、だから訊き返すことができなかった。

あれがきっと、楓太や音哉なら、

「いまの、どういう意味?」

と、軽い感じで訊き返すことができただろうと思うのに。

（でもやっぱ、何かの聞き間違いだったんだろうなあ）

少し時間が経ってみると、そんな気分になってくる。

自分は間違えても、「不思議な感じがする男の子」なんかじゃないと思うし。

（その辺にいくらでもいる、本が好きで国語が得意科目の、地味な中学生だよなあ）

不思議な感じってどういうことをいうんだろう――？

つい腕組みをして考えてしまう。

透にいわせれば、むしろ、千晶の方がよほど、「不思議な感じがする女の子」だ。

（さっきまで台風が吹き荒れる校庭にいたはずなのに、気がつくと、雨にも濡れずに廊下にいたりとかさ）

秋の転校生として、教室に入ってきた、長い綺麗な髪の、謎の女の子。

（まあ、あれは、ぼくの錯覚だったんだろうと思うけど――）

だってそんな、まるで『風の又三郎』みたいな女の子が、この世にいるはずがない。神出鬼没《しんしゅつきぼつ》の、謎の旅人みたいな転校生が。

そんな存在は、本の中にしかいないに決まっているのだ。奇跡や魔法やサンタクロースが、ほんとうにはこの世界に存在しないように。
「不思議っていうのはね」
ふいに、風が吹きすぎるようなささやき声が、耳元をかすめた。
「あなたは、見えないものが見えそうな目をしている、っていうこと」
バスの後部座席の、透の右横に、さっきまでたしかに誰もいなかったはずのとこ
ろに、いつの間にか千晶が座っていて、そうささやいたのだ。
「普通のひとには見えないものを見る目を持っていて、聞こえない声が聞こえる、
そんな不思議なひとが、この世界には、ときどきいるの」
透が驚いて、目をしばたたかせると、千晶は、薄い唇に笑みを浮かべ、色の淡い
瞳を細めた。その目はとても澄んでいて、水晶や水の色や、空の色のように透き通
って見えた。
（黄昏時《たそがれどき》の空みたいな色だ――）
黄金色《こがねいろ》のような。蜂蜜の色のような。
輝きと果てしなさを宿した、魔法のような光を宿した瞳。そんな瞳だと思った。
昼と夜の間の時間には、不思議なことが起きるのだと教えてくれたのは誰だった

だろう。黄昏は魔法の時間なのよ。――お母さんの言葉だった？　それともあれは、何かの本で読んだ言葉だっただろうか。

ベルが鳴る音がした。誰かが次のバス停で降りますと、運転手さんに知らせたのだろう。

バスがかたりと揺れて、透は目を開いた。

いつの間にか眠っていたらしい。

はっとして、右隣の席を見る。――そこには誰も座っていなかった。

透は小さくため息をついた。

夢だったのだろう。

(まあ、それはそうだよね)

ファンタジー小説かライトノベルの導入部にありそうな会話だったし。

(ううん。ちょっとというか、かなり恥ずかしい、妄想みたいな夢だったなあ)

なんて思いながら、千晶が座っていた、ふたつほど前の席に視線を向けると、ちょうど彼女は、席から立ち上がり、バスを降りようとしているところのようだった。

彼女の他に、降りようとしているひとはいない。ということは、ベルを鳴らしたのは、千晶だったのだろう。

窓の外を見ると、車内の灯りに照らされて、

『妙音岳入り口』

と書かれた古いバス停が、そこにある。

同じように窓の外を見た楓太が、

「あの子、ほんとにここで降りるんだね」

と、心配そうにいった。「家族、迎えに来てないみたいだけど、これから来るのかな」

ふと、透の目の端に、動くものが見えた。

真っ暗な草むらに、何か白いものがふわふわと漂っているように見える。何だろうとよくよく見ると、銀色の尻尾《しっぽ》だった。ぬいぐるみくらいの大きさの尻尾の長い生き物が、夜の野原を駆け回っている――?

(犬かな?)

犬にしては、何かが違う気がした。大きさも小さいような。

薄暗いから、よくはわからないけれど。

（ていうか、あれ、狐――？　子狐みたい）

耳が大きくて尻尾が長い銀色の動物が、バス停のそばの夜の野原を、楽しそうにくるくる回っているようなのだ。それがどうも、動画や写真集で見たことがある、子狐に見える。

（狐って、この辺にもいたんだ）

そういえば、いるって誰かに聞いたことはあったな、と思ったとき、音哉が、

「家族、迎えに来てるじゃん」

ガラス越しに、指さした。

「どこに？」

楓太と一緒に、窓の向こうを覗き込むと、いままで、子狐がいたはずのところに、小学生くらいの男の子が立っていた。

そこに、バスから降りた千晶が軽い足取りで駆け寄るのが見える。

バスは警笛《けいてき》を一度鳴らし、ゆっくりと走り始めた。千晶がバスの方を振り返り、風で揺れる髪を押さえながら、バスに向かって――透たちの方へと、手を振った。

隣で男の子も、楽しそうに、大きく手を振ってくれた。

辺りは暗いし、バスはすぐに遠ざかったので、はっきりとはわからなかったけれ

ど、似た雰囲気の二人に見えた。ほっそりとして、綺麗な感じの。きょうだいなのかも知れない、と思った。

(さっきの子狐、どこに行ったんだろう?)

透は首をかしげる。見間違えかなあ。

あの弟が狐によく似た犬を連れていた、なんて可能性もあるな、と思った。——それか……。

この辺りには、薄《すすき》が群生するから、その銀色の穂がバスの灯りに照らされて、狐の尻尾に見えたのかも知れない、と思った。きっとあの男の子が動いて、そのはずみで穂が揺れて、それっぽく見えたのだろう。

(この頃、狐の娘の話とか思いだしていたから、無意識のうちに狐とか連想したのかも)

転校生、ひとりで帰るんじゃなくて良かったね、と、楓太がいった。

「あの子、きっと弟だよね。お姉ちゃんを迎えに来たんだね」

明るい声で、ほっとしたようにいった。

「そうだね」

透と音哉はうなずいた。

それにしたって、辺りは真っ暗すぎる。バスの窓越しには、千晶も弟も、それをまるで怖がっていないように見えたけれど、透の気のせいだろうか?

(家、よほど近くにあるのかなあ)

そうであってほしい、と思った。


帰りついた頃、桜風堂書店にはまだ灯りがついていた。透は部屋に荷物を置き、店の名前入りのエプロンをつけて、店の方に顔を出した。

「ただいま」

明るい中に足を踏み入れると、お疲れ様、おかえり、と、声がかかった。カフェスペースのカウンターにいる一整《いっせい》と、レジの中にいた「風猫さん」こと、元音楽喫茶店主の藤森《ふじもり》章太郎《しようたろう》が笑顔を向けてくれる。いつも通り静かにピアノ曲が流れていて、透はほっとすると同時に、帰ってきたことが嬉しかった。

台風で帰りが遅れることは連絡済みだったけれど、二人とも無事の帰宅を喜んでくれた。

二人とも、透にとっては家族や親戚のようなひとびとだった。一整はお兄さん、藤森は頼りになる親戚のおじさん、という感じだろうか。今日のこの時間は上のフロアのレジにいるだろう沢本来未《さわもとくるみ》もそれは同じで、いとこのお姉さんみたいに、透を可愛がってくれていた。

そろそろ閉店の時間だ。透はカフェスペースの汚れ物を片付けるのを手伝いながら、

「今日、転校生が来たんです。ちょっと不思議な感じの――」

と、話し始め――そこまで話した段階で、一連の夢のような出来事をどう話せば良いのかわからなくなった。

(だって、何もかも夢ものがたりみたいな)

でなければ、妄想みたいな話だ。嵐が吹き荒れる校庭に転校生がいたと思ったことも、いつの間にかバスで隣の席にいた、と思ったことも。そして、透にだけ語りかける、不思議な言葉を聞いたと思ったことも。

透自身、夢か錯覚のように思えていることだ。どれもふたりに笑われてしまいそうで、その辺りのことは話さずに、短く終わらせた。

「――帰りのマイクロバスも一緒だったんだけど、『妙音岳入り口』で降りていったの。弟みたいな子が迎えに来てました。あの辺、真っ暗だけど、住んでるひと、いるのかな?」

一整が透に、熱い梅昆布茶を入れてくれながら、

「町長さんたちの施策がうまくいっていることもあって、桜野町も人口が増えてはいるよね。企業の誘致も進んでる。森の奥の別荘地みたいに、古い家の補修が進んで、新しい住人がどんどん増えているようなところもあるし」

藤森がレジの奥から、響く声で続ける。

「妙音岳は聖域だから、山の上の湖がある辺りはひとが住まないだろうけど、登山道の入り口の、あのバス停の辺りにはもともと村があったしね。少し遠くの山奥には、小さな集落があると聞いたこともある。いまの日本、電気さえ通っていれば、街中じゃなくてもできる仕事もあるしね」

藤森は、元編集者で、何にでも詳しいのだけれど、桜野町の風土や伝承に興味があるそうで、町の歴史や伝説に詳しかった。町の商店街の責任者のひとりでもあるので、桜野町の現状にも詳しい。そのせいもあってか、透から聞いた話が気になるようでもあった。

「新しい住人か――。いまのところそんな話は聞いていないけれど、じきに商店街に買い物に来てくれるかなあ。どんな感じのひとたちなんだろう」

顎《あご》に手をやって、呟《つぶや》く。

「お父さんの仕事の関係で、いろんな国や町に引っ越してるっていってました」

「そっか。それは大変だなあ」

うんうんと藤森はうなずいた。「どんな時代になっても、転勤の多い職種はあるしなあ。勤め人でなくても、研究者だったり、芸術家だったりするかも知れないね。家族は大変だ」

なるほど、と、透もうなずいた。

(芸術家なら、山奥で暮らすなんてこともあり得るのかも知れないな)

芸術家の子ども、というのなら、あの不思議な雰囲気や、どこか現実離れして見える透明感は、納得できるような気もした。

これからあの子のことを色々知ることができるのかな、と思うと、楽しくなった。友達になれたりしたら、きっと素敵だ。

(なんていうか、お話の世界から抜け出てきたみたいな女の子だし——)

いろいろ不思議なところはあるけれど、みんな透の気のせいかも知れないし——いやきっとそうなのだろうし。

毎日が楽しくなりそうな気がした。楓太や音哉と一緒に、山を歩いたりしたら絶対楽しいだろうし、弟(らしかった男の子)と話もしてみたい。

そうだ、何よりも――。

（桜風堂に来てほしいなあ）

本が好きみたいだったから、きっと、この店を好きになってくれるだろうと思った。

閉店と明日の開店の準備をしながら、とりとめもない話をするうちに、透は小さい頃から狐の娘のお伽話《とぎばなし》が好きだった、という話になった。

「――その、昔に山の神様たちが封じた竜が復活するって伝説、ほんとにあるんですか？」

透が藤森に尋ねると、一整も興味深そうな表情で、藤森の方を見ていた。

「ああ、そうだね。そんな言い伝えがあるみたいだね」

なんてことのない話のように、藤森は答え、にやりと気障《きざ》っぽく笑った。「自慢じゃないが、この町の昔話は、いつでも本にできるようにひととおりの資料を集めてあるから、おじさんちょっと詳しいぜ。って話は前にもしたことがあったかな？　特に狐の娘の話は、ロマンチックでぼくも好きで、いろんなひとに取材もしたからね。うん、あれは楽しかったな」

藤森がいうには、さまざまな伝承を覚えている地元のお年寄りたちも、年々老いたり、気付けば彼岸《ひがん》に渡ったりしてしまうので、とりあえずは語り手が元気なうちに、と、話を採集しておいているのだそうだった。

藤森は元大手出版社の名の知れた編集者で、ライターとしての腕もたしかだ。そして、いまは地方在住でもひとり出版社として本を出して売って行くことも可能なので、ぼちぼち本を作る準備を始めているところだった。

「その、ぼくが知っているのは、狐の娘の話の、途中までみたいなんですけど」

「途中まで、というと？」

「えっと——山の神様たちに竜神を封じてもらうために嵐の山を駆け回って霊力を使い果たし、人間の姿になれなくなった狐の娘が、木地師《きじし》の若者のそばを去り、若者は何も知らないまま、娘を待ち続けて、ひとりで里で暮らした、ってところまでです」

「ああ、そこまでか。それが王道っていうか、いちばん有名なくだりだからねえ」

うんうん、と藤森はうなずく。そして、「そのあとは、というとね」と、軽く咳払いをして、話し始めた。

閉店した後の、灯りを落とした店内は暗く、窓にかかるレースのカーテンの合間に見える山の夜空は漆黒《しっこく》で、どこか恐ろしかった。

お伽話の世界の、恐ろしい竜や、山の神々がその暗がりの中に潜んでいそうで。

「若者は、別れも告げず姿を消した娘を思いながら、ひとり里の小さな家で暮らし、美しい器や、彫刻を作り続けたそうだ。言葉は少なく、里の者達と器用に付き合えるわけでもなかった、無器用な若者の、その里のひとびとや野山への想いを込めたように、どの作品も優しく、美しかった。

　いなくなった娘はもともと、どこからともなく現れた謎の娘、若者はその出自を訊くこともなくともに暮らしていたので、その行方《ゆくえ》を探す術《すべ》も、誰かに尋ねる術もなく、ただ娘の帰りを待つしかなかったらしい。そして若者は、もしかしたら、娘がただ者ではなく、人ならぬ身の存在だと気付いていたかも知れない。

　それでも若者は妻と呼んだ娘を深く愛していた。

　そして若者は、娘を信じていた。娘が自分と、この里を好いていると信じ、かけらも疑わなかったから、きっと娘は小さな家に帰ってくると信じていたんだね。それを疑わず、待ち続けた。

　そうしているうちに、年月は流れ、若者は年老いていき、やがて亡くなって、里の外れの墓に葬られた」

「……やっぱり、最期までひとりぼっちのままで？」

知っていても、悲しいと思った。

「そうだねえ。部屋中に残したたくさんの木彫り――あたたかな艶《つや》に包まれた、美しい作品に囲まれて、幸せそうに眠っていたそうだよ。目が覚めたら、きっとそこに娘がいる、そう信じて眠りについたような寝顔で」

「――狐の娘は、どうなったんですか？」

里を離れて、山に帰って、一匹の狐として自由に暮らしたのだろうか。

それがね、と、藤森は少しだけ寂しそうな笑みを浮かべて、話を続けた。

「実は、狐の娘は、生まれ育った野山に帰らずに、ずっと里の若者のそばに隠れ住んでいたという話があるんだ。そうして、老いていく若者のそばで、自分も静かに年老いていった、と。もはや狐に戻った身、ひとの妻ができるように、言葉を交わすことも、美味《おい》しい食事を作ることも、着物を縫うこともできないから、と、ただ近くにいたそうだ。そして、若者が死んだ後、老いた狐は、妙音岳の六柱《ろくはしら》の神々に頭《こうべ》を垂れて、願ったそうだ。――わたしにひとの手を与えてください、と。

狐の手では、夫の墓に参ろうにも、彼が好きだった花を供えることができない。手を合わせることもできない、どうかお願いします、と。

哀れに思った神々は、老いた狐に願ったとおりのものを与えたそうだ。老いた狐は、その手で、墓前に花を供え、手を合わせ、そしてそのまま、亡くなったそうだよ」

透は、うつむいた。ちょっと笑って、

「それは——なんというか、『ごんぎつね』とどっちかという感じで、悲しい終わり方ですね」

バッドエンディングだ。笑って誤魔化さないとやっていられない、と思った。

話を聞きながら、テーブルの上を片付けていた一整が、ぽつりといった。

「木地師の若者は、狐の姿でも良いから、娘に帰って来てほしかったでしょうね」

静かな声で言葉を続けた。「言葉を交わせなくてもいい、何もしてくれなくていいから、ただそばにいてくれたら——そう思ったんじゃないでしょうか。同じ空の下に、小さな家の自分の傍《かたわ》らに、ただ、そのひとがいてくれれば良かったんじゃないかなあ、と」

そしてふと、くしゃっとした笑顔で笑った。

「木地師の若者に感情移入したら、ひどく切なくなっちゃって。美しいお話ではありますが、ハッピーエンドが良かったですね」

何もしてくれなくていい、ただそばに、同じ空の下にいてくれたら――一整がその言葉を口にしたとき、透には、一整のまなざしに思い描く誰かの姿があったような気がした。

「ですよね」と、透はうなずいた。「思い合う二人は、やっぱりそばにいなくっちゃ」

そして幸せになるべきなんだ。

(神様たちも、ケチっていうか、もっとこう、狐の娘と若者を助けてくれても良かったんじゃないのかな)

仮にも神様なんだし、と思うと、やっぱり腹が立つ。

里のひとびとを救った、勇気ある優しい狐の娘の一生は、こんな寂しい終わり方で良いんだろうか?

(木地師の若者だって、優しい、良いひとなのに)

彼が残したという、狐の彫刻を思い出す。

つややかでこっくりとした色合いの、その姿は、木を掘ったようには思えない柔らかであたたかなものに見えた。聞こえない吐息で呼吸をし、胸の中で鼓動《こどう》を打っているようだった。その耳で風の音を聴いているように見えた。綺麗な、薄く開いた瞳のそのまなざしは優しくて、小さな祠の中にあっても、町のひとびとを、町を包む山を見つめ、幸せな日々を見守っているようだった。

口元に、穏やかな笑みを浮かべて。

(あんなに優しいものを作れるひとは、きっとほんとうに心根が優しいひとだったと思うんだ)

狐の娘が好きになり、自由な野山の暮らしを捨てて、一生そばにいたいと願ったほどに。——その願いは叶わなかったけれど。

(ふたりとも幸せになれれば良かったのに)

ずっと昔の、伝説の中のひとびとの話だと思っても、切なかった。

その夜、透は不思議な夢を見た。

美しい金色の狐と、小さな銀色の狐が、長い尾をなびかせて、夜の野山を駆けていた。

狐たちは、月に照らされた銀色の薄《すすき》野原を、つややかな毛並みを輝かせながら、舞うように駆け抜けていた。

楽しげに。踊るように。

〈つづく〉

さよなら校長先生

8 スーツ 後編

滝羽麻子
Takiwa Asako

高校に上がる頃には、沙智《さち》が母と衝突する機会は以前より明らかに減っていた。成長するにつれて、沙智にも分別がついてきたのだ。母は教頭職に昇格して、いっそう忙しくなってもいた。

ひさしぶりに気合を入れて母と話したのは、高校二年生のときだった。

学校で配られた進路希望調査票を挟み、母子は食卓で向かいあった。一番下の保護者欄以外は、すでに沙智の手で記入をすませてあった。

第一志望から第三志望まで、選んだのはすべて外国語大学だ。一校は東京、二校は関西で、どちらにしても自宅から通える距離ではなかった。もし入学したら、実家を離れることになる。

中学時代から、英語は沙智にとって一番の得意科目だった。英語という言語の持つ、ある種の明快さと公平さが、肌に合っていたのかもしれない。主語が常に明確で、男言葉と女言葉の区別がほとんどない。丁寧な表現もあるものの、日本の尊敬語や謙譲語ほど複雑ではない。上司でも先輩でもかまわずファーストネームで呼びあうというのも、さっぱりしていていい。

言葉そのものだけでなく、なにかと白黒はっきりつけようとする英語圏らしい論法も、きらいではなかった。高校の授業でときどき行われるディベートやディスカッションは得意だったし、英語の教師にすすめられて弁論大会に出場したこともある。日本人は集団の和を乱したがらず、阿吽《あうん》の呼吸で空気を読みあい、個人の意思をはっきりと表明するのは不得手だとよく言われるが、沙智はわりに平気だった。母に鍛えられてきたおかげで、自分の意見を言葉で言い表すのは苦にならなかった。

その母は、沙智が英語のテストで百点をとったり弁論大会で入賞したりすると、毎回感心していた。

「誰に似たのかしら」

母自身は、英語はさっぱりお手上げだという。海外旅行をした経験すらない。

「勉強しようとしたことはあるんだけどね。ちっとも頭に入ってこなくて」

日頃は泰然《たいぜん》として隙《すき》を見せない母にしては珍しく、才能がないのかしらね、と不満げにぼやいていた。

ひょっとしたら、沙智が英語の世界に惹かれたのは、そのあたりもいくらか関係していたのだろうか。母の手が届かないところに行ってみたいと、本能的に望んでいたのかもしれない。

ともあれ、もっと深く英語を学びたいという希望じたいは、受け入れてもらえるはずだと沙智は踏んでいた。向学心は、母の最も重んじる美徳のひとつだ。問題は、その場所だった。

どうしてわざわざ遠方の大学に通わなければならないのか、と質問を浴びせられるだろうことは予測できた。自宅から通学できる範囲に、大学はいくつもある。変わった言語ならともかく、英文科であればどこにでも置かれている。

沙智は母と話す前に、父と祖母にも打診していた。あわよくば味方になってもらえないかと下心が働いたのだが、残念ながら反応は芳《かんば》しくなかった。祖父に先立たれて以来、めっきり気弱になってしまった祖母は、さびしくなると嘆いた。生まれてこのかた県外で暮らしたことのない父は、女の子が都会でひとり暮らしするのは危ないのではないかと難色を示した。母だけがすんなりと賛成してくれるとは考えづらかった。

「どうしてこの大学がいいの？」

案の定、母は沙智にたずねた。

第一志望の大学がいかにすばらしいか、沙智は力説した。入学案内のパンフレットを隅々まで読みこんで、長所や特色を頭にたたきこんであった。単に語学力をつけるだけにとどまらず、総合的なコミュニケーション能力の向上や、異文化理解の促進にも力を入れているという。カリキュラムのほか、交換留学制度も大きな魅力のひとつだったけれど、それはまだ黙っておくことにした。東京や関西でもじゅうぶん遠い。いきなり海外の話まで出すのは、飛躍《ひやく》しすぎだろう。

「教職もとれるみたいだよ」

少しでも母の心証をよくしようと、そんなことまで言った。本音では、教師になるつもりなど毛頭《もうとう》なかった。

「そう。将来は小学校でも英語を教えることになるかもしれないっていうし、需要はあるかもしれないね」

母の心証がよくなったのかどうか、表情からは読みとれなかったものの、

「あなたは案外、教える仕事に向いてるかもしれない」

前回までのあらすじ

カナダでカフェを営む沙智のもとに、亡くなった母・高村正子を偲ぶ会についてのメールが届く。メールには、開催に際して沙智に頼みたいことがあると綴られていた。沙智は、教師として周囲に慕われていた母の姿と、その母との関係に悩んだ思春期を思い出す。

とつけ加えたということは、悪くはならなかったのだろう。

「よさそうな学校じゃないの」

母はおもむろに続けた。沙智はここぞとばかりにうなずいた。

「うん」

「じゃあ、そこにしたら？」

「いいの？」

沙智は拍子抜けした。

「だって、沙智はその大学が一番いいと思うんでしょう？」

「そうだけど」

「それなら、そうしなさいな」

予想外に、さっさと話がついてしまった。喜ばしい反面、なんとなく後ろめたい気すらしてきて、沙智は調査票の用紙を母のほうへ押しやった。

「じゃあ、保護者欄にサインしてくれる？」

後ろめたくなる筋あいはなかった。よりよい環境で英語を本格的に勉強したいという気持ちは、うそではない。

決してうそではなかった。それも、れっきとした理由のひとつだった。すべてではなかっただけで。

沙智はどうしても家を出てみたかった。どこか見知らぬ新しい土地で、自由に冒険してみたかった。

今にして思えば、母も娘の魂胆《こんたん》をうすうす察していたのかもしれない。察していたのなら、どうしてとめようとしなかったのだろう。親もとを離れてでも通う価値のある大学だと認めてくれたのか、娘の熱意に心を動かされたのか。いずれにせよ、大賛成とまではいかないまでも、どうしても反対しなければならない理由は思いつかなかったようだ。かといって、祖母や父のように、さびしいから、心配だから、と感情的にひきとめるのは、母の流儀に反する。

せっかくの機会を、むざむざ逃す手はなかった。沙智は猛勉強の末に、第一志望の外大に合格した。


帰っていく双子と両親を、沙智は店の前まで出て見送った。子どもたちはすっかり折り紙に夢中で、次はまた別のも教えてね、と約束させられた。なんと彼らはユビキリまで知っている。

どうも薄暗いと思ったら、雨がぱらついていた。新しい客が入ってこないのは、天気のせいもあるのかもしれない。雲間から陽ざしが届いていた朝方よりもぐっと冷えこんで、ただでさえ往来の多くない路地は閑散《かんさん》としている。家族が角を曲がったのを見届けてから、店の中に引き返した。

雨が降りこんでこないように入口のドアを閉めようとして、ぎょっとした。ドアにはまったガラスの向こうから、母の顔がのぞいていた。しかつめらしく眉根を寄せ、目をすがめて。

後ずさった拍子に、足がもつれた。そばのテーブルに手をついて体を支える。

「どうした?」

カウンターの内側にいる夫にも見とがめられてしまったようで、気遣わしげに声をかけられた。

「ごめん、ちょっとつまずいちゃっただけ」

ごまかして、こわごわドアのほうをうかがう。よく見たら、自分の顔が反射して映りこんでいるだけだった。外の道に相変わらずひとけはない。

もしも誰かが通りかかって、ドア越しに店内をのぞきこんだとしたら、沙智が寄りかかっているこの四人がけのテーブルが目に入るはずだ。ついさっきまで、双子とその両親が座っていた。

もしも母が店の中をのぞいたなら、異国の子どもたちに折り紙を教えてやっている沙智の様子が見えたはずなのだった。山折り、谷折り、折り目をつけてまた開いて、とひとつひとつ手本を示しては、それをまねする子どもたちのたどたどしい手つきを見守ってやっていた。

そんな沙智の姿を目にしたら、母はどう感じただろう。

娘が教える仕事に向いている、と母は言った。正しいと信じることしか口にしないはずの、あの母が。

「ちょっと休んだら？」

夫がカウンターの外に出てきて、沙智の背をさすった。

「顔色が悪いよ。忙しかったから、疲れたんじゃない？」

そういえば、予期せぬ折り紙教室が開講してしまったせいで、休憩をとりそびれた。出勤前に軽く食べたきり、なにも口に入れていない。

「お客さんも来そうにないし、なにか食べれば？　コーヒーも淹れようか」

「うん。ありがとう」

カウンターの隅のスツールに、沙智は腰を下ろした。

デニッシュをふたつ選び、夫にトースターであたためてもらった。バターのふくよかな香りが店内に広がっていく。

カウンターに頬杖をついて、目を閉じる。母の険しい目つきがまなうらに浮かび、ゆっくりとぼやけていった。

母がああいう表情を見せるようになったのは、いつからだろう。あからさまに怒ったり、取り乱したりするわけではない。ごく一瞬、静かに顔をしかめるだけだ。それでも、日頃はあわてず騒がず、時には小憎らしくなるほど悠然と落ち着きはらっている母の顔がたまにゆがむと、とても目立った。

大学生活は、沙智の期待をはるかに上回って充実していた。

都会でのひとり暮らしを、沙智は存分に謳歌《おうか》した。まじめに授業に出席し、課題やテストもきっちりこなして、それでもなお時間はあり余っていた。テニスサークルに入り、居酒屋でアルバイトをはじめた。バイト代をためて流行の服を買い、友達とカラオケに行き、誰かの下宿に集まっては夜どおし語り明かした。酒を飲み、たばこを喫《す》った。人生初の恋人もできた。

なんだってできた。なにをしてもいいのだった。

圧倒的な解放感が、世界をきらきらと輝かせていた。夢みたいだった。一年生のうちは、バイト帰りの夜道や徹夜明けの早朝なんかに、なにしてるの、と問いかける母の声がどこからか聞こえてきてひやりとさせられることもあったけれど、そんな空耳もしだいに減っていった。

「反動ってことなのかな、それは」

沙智の話を聞いた恋人は、おもしろそうに言った。

「これまでがまんしてきた分を、取り返そうとしてるんじゃない？」

「どうかな」

沙智にもよくわからなかった。「がまん」していたつもりはない。母に束縛《そくばく》されているとも、干渉《かんしょう》されているとも、思ったことはなかった。ただ、幼い頃からずっと、なんでも見通されてしまうという緊張感があったのは否《いな》めない。

「お母さんがどうこうっていうより、わたし自身の問題かも。肩に力が入っちゃうっていうか」

彼にはぴんときていないようだった。

「肩に力？　親を相手に？」

彼は実家住まいで、両親と仲がよかった。「親っていうか友達みたいな感じ」らしい。沙智にはそれこそぴんとこなかった。母は、母だ。友達じゃない。

ともあれ、これだけ離れていれば、母の目を気にせずにすんだ。未熟な子どもだった過去の自分を振り返って、感慨のようなものすらわいてきた。

調子が狂ってしまうのは、たまに帰省したときだけだった。授業やサークルやアルバイトについて、最低限の近況報告をするだけでお茶を濁《にご》した。夜ふかしも飲酒も、喫煙や恋人との小旅行だって、大学生ならみんな普通にやっていることで、隠す必要などないとわかっているのに、自然に口が重くなった。隠す必要はないにしても、あえて家族にべらべら話す必要もない。

しかし、卒業後の進路のことは、黙っているわけにもいかなかった。

「就職はどうするんだ?」

父からなにげない調子で切り出されたのは、大学三年生の盆休みのことだ。両親と三人で、墓参りをすませた帰り道だった。前年に亡くなった祖母の初盆で、沙智は長めに帰省していた。父が車を運転し、母は助手席に、沙智は後部座席に、それぞれおさまっていた。

どう答えるべきか瞬時に頭を働かせた結果、正直に打ち明けようと沙智は腹を括った。どのみち、いつかは言わなければならないことだ。ぐずぐず先延ばしすればするほど、切り出しづらくなるのは目に見えている。こうして後部座席から話したほうが、正面きって顔を突きあわせるよりも多少は気楽かもしれない。

「とりあえず、就職はしない」

慎重に答えると、父は間の抜けた声をもらした。

「へっ？」

母はなにも言わなかった。目を上げて、フロントミラー越しに後ろの沙智をうかがっている。

「カナダの大学に通いたいの」

沙智は言葉を継いだ。驚きと困惑の入りまじった声音《こわね》で、父が言った。

「また留学するってことかい？」

その前年、二年生の夏休みに、大学の主催する交換留学のプログラムで沙智ははじめてカナダに渡った。選抜制でかなり倍率が高く、両親には参加が決まってから報告したのだった。下手に話して、落選してしまったら格好がつかないし、けちをつけられるのもいやだった。

さておき、三カ月間の滞在は、文字どおり沙智の人生を変えた。

「去年みたいな短期じゃなくて、卒業までするつもり」

沙智は言った。どこまで話すか、まだ迷っていた。

むろん、娘の逡巡《しゅんじゅん》を見過ごしてくれるほど、母は鈍くも甘くもない。間髪容《かんはつい》れずに、鋭く問いかけられた。

「卒業して、どうするの?」

鏡の中で、目が合った。沙智は軽く息を吸って口を開いた。

「できれば、カナダで就職したいと思ってる」

母がきゅっと眉を寄せた。

あのときの、ミラーの枠で四角く縁どられた母の目もとを、沙智はありありと覚えている。瞳の奥をよぎった、母には不似合いな動揺の色も。

あたたかいデニッシュを胃におさめたら、人心地がついた。

「本降りになってきたな」

夫が腕組みしておもてを見やった。沙智もつられて入口のドアを振り返る。風も出てきたようだ。雨のしずくがガラスに不規則な波模様をつけている。

もちろん、その向こうに母はいない。母はもう、どこにもいない。

結局、沙智たちの店に母は一度も来なかった。店どころか、娘が永住したいと望むほど魅了された国に、ついぞ足を運ぼうとはしなかった。飛行機に乗りたくないから、という実に子どもじみた理由で。

娘の海外移住を、両親は最終的には受け入れた。受け入れざるをえなかった、というべきか。家には一切迷惑はかけないと沙智が半ば喧嘩腰で宣言したので、あきらめるほかなかったのだろう。

啖呵《たんか》を切ってしまった手前、留学にかかる費用は自力で工面《くめん》した。

「多少なら援助できるよ」

父はおそらく母に内緒で耳打ちしてくれたけれど、こっちにも意地があった。

「いい。自分でなんとかする」

沙智が断ると、父は苦笑した。

「沙智はお母さんにそっくりだな」

「どこが？」

問い返す声がとがった。父はしたり顔で答えた。

「誰かに頼りたがらないところも、自分で決めたことを譲らないところも」

二年生の後期から、沙智は心を入れ替えて、だらだらと遊び回るのをすっぱりやめた。なるべく時給の高い塾講師や家庭教師のアルバイトを厳選した上で、時間と体力の許す限りシフトを詰めまくった。稼いだ分はまるごと貯金に回し、奨学金とあわせて渡航費と学費をまかなった。

留学中の生活費は、現地でのアルバイトでやりくりした。就学ビザでも、パートタイムの仕事なら認められている。最初から四年生の大学には通わず、まずは二年制のカレッジに入学したのも、節約のためだった。卒業すれば、就業ビザを申請できる。それから一年間は日本食レストランで働いて、無事に永住権を取得した後で、あらためて四年制大学のビジネス学科に編入した。永住権を持っていると、学費が格段に安くなるのだ。カレッジの二年間でとった単位も引き継ぐことができる。

大学で学んだビジネスの基礎は、この店の経営にも役立っている。夫は数字に強くないので、経理は沙智が担当している。夫はコーヒー豆の質にとことんこだわり、オーガニックやフェアトレードの食材を使いたがる。日々帳簿をにらみ、工夫と試行錯誤を続けなければ商売が立ちゆかない。

あの大学に通わなければ、造形学科の夫とキャンパスで出会うこともなかった。有意義な投資だったと今は胸を張って言いきれる。ただし、在学中はおそろしい貧乏暮らしに耐えなくてはならなかった。日本人の留学生は総じて経済的に余裕があるという印象が強いようで、大学の友達には「サチってほんとに日本人なの？」と疑われたものだ。肉体的にも精神的にもきつかったが、必死に踏んばった。すごすごと日本へ逃げ帰って、それ見たことかと母に失笑されるのだけは、絶対にごめんだった。

とはいえ、この国に来てからの自分を、沙智はまずまず気に入っている。

スマートとは程遠かったものの、よくがんばったものだと思う。自らの力で、自らの未来を、がむしゃらにきりひらいてきた。上京してひとり暮らしをはじめたときにも、一人前に自立したつもりで浮かれていたけれど、あれはしょせん幼い自己満足にすぎなかった。

日本にいた頃のことを振り返ると、なんともいえず気恥ずかしくなる。楽しかった記憶もなくはないけれど、積極的に思い出したいとは思わない。夫との会話でも、話題に上る機会は少ない。

小田のメールのことも、これまではなにも話していなかった。

「実は、日本から連絡があって」

閉ざされたドアに目をやったまま、沙智は口を開いた。

「それって、お母さんに関係すること？」

夫が遠慮《えんりょ》がちに問う。

「うん、まあ」

偲《しの》ぶ会を英語でどう表現したものか、つかのま迷う。セレモニーか、イベントか、ミーティングか。パーティーではおかしいだろう。「送別会」と訳してみたら、通じたようだった。

「いつ?」

「来月」

「来月の、いつ頃?」

重ねてたずねた夫の意図を察し、沙智はあわてて言った。

「行かないよ、わたしは」

「店のほうは、なんとかなるよ。気にしないで」

「ううん、いい。そっちこそ、気にしないで」

来なくていい、と当の母なら即座に断っただろう。父の葬儀にすら、忙しければ来なくてかまわない、とこともなげに言ってのけたのだ。実際、喪主としてなにもかも完璧にとりしきり、沙智の出る幕はなかった。

「ほんとに?」

夫がこんなふうに食いさがるのは珍しいことで、少しばかり自信が揺らいだ。やっぱり行ったほうがいいのだろうか。沙智が考えこんでいたら、

「ごめん」

と夫が小声で謝った。

「え、なんで？」

「なんか、難しい顔してるから。よけいなこと言って、気を悪くさせちゃったかなと思ってさ」

「そんなことないって。ちょっと考えてただけだよ」

沙智は無理やり笑顔をこしらえた。

「その送別会のことで、頼まれごとをしちゃってて」

当日、先生ゆかりの品々を集めた展示コーナーも設けることになりました、と今朝届いたメールには書いてあった。母にまつわる思い出の品を個々人から借り受け、簡単な来歴を添えて陳列するそうだ。

そこで沙智にも、ぜひともなにか出品してほしいという。

ひとつにしぼりきれない場合は、ふたつでも三つでもかまいません、と小田は懇《こん》切丁寧《せっていねい》に注記していた。大沢校長もそう言っているらしい。偉大な先輩教師の、心あたたまる記憶を胸に刻んだ彼らは、母娘《おやこ》の間にもすばらしい思い出があるはずだと信じて疑っていないに違いなかった。

いがみあっていたわけでは、ない。でも、深いきずなで結ばれた麗《うるわ》しい親子関係を勝手に想像されても、困る。

「どうしよう」

ひとりごとがもれた。

口に出してしまってから、日本語だと気づいた。夫が黙ってコーヒーのおかわりを注いでくれた。

日が落ちても雨はやまなかった。客の入りも引き続きふるわず、定刻に店を閉めてふたりで帰宅した。

夫がシャワーを浴びている間に、沙智は寝室のクローゼットに押しこんであったスーツケースをひっぱり出した。葬儀で帰国した折に、母の遺品を詰めて持ち帰ったものの、整理する気にもなれずにそのまま放置していたのだ。

この中からなにか適当にみつくろって、小田に送ればいいだろう。かさばらず、こわれにくいものにしよう。アクセサリーが無難かもしれない。母は結婚指輪を除いてめったに宝飾品の類を身につけなかったけれど、ブローチはいくつか持っていた。生前に愛用していた品物だと説明すれば、会の趣旨《しゅし》にも合わなくはないはずだ。母がそれを身につけた姿を覚えている参列者も、ひょっとしたらいるかもしれない。

遺品は、沙智が想像していたよりずっと少なかった。

母は亡くなる数カ月前に、沙智の生家でもある一軒家を引き払って、隣県にある高齢者向けのマンションに入居したばかりだった。個室は狭く、最低限の荷物しか持ちこめない。家具も生活用品も衣類も、そうとう処分したらしい。

引っ越すことにしたと母から知らされたのは、そのまた数カ月前、年が明けてすぐだった。

母が電話をよこした時点で、話はあらかたまとまっていた。家が売れ、施設側の審査にも通り、あとは契約をかわすばかりだという。その書類に、身元保証人としてサインしてほしいと頼まれた。

沙智にとっては寝耳に水だった。絶句していると、母は悪びれずに言った。

「前にも話したじゃないの」

そういえば、父の死後に相続の手続きをしたとき、将来的に家をどうするかという話は出ていた。

「あなたは日本に戻ってくる予定はないのよね？」

母は沙智にたずねた。

もしも父からそう問われたのだったら、帰ってきてほしいという望みが言外にこめられているのではないかと沙智も勘ぐったかもしれない。しかし、母に限ってそれはない。あの質問に、単なる事実確認以上の意味は含まれていなかったはずだ。

だから沙智のほうも、事実をありのままに答えた。

「ない」

「そう。じゃあ、いずれはなんとかしなくちゃね」

その「いずれ」は、もっと先のことだと沙智は解釈していた。

たとえば祖母も、最晩年は介護施設で過ごした。じわじわと認知症が進み、帰国した沙智が会いにいっても顔を見分けられなくなってしまっていた。しかし、母はまだ七十代半ばだ。特に持病はないはずだし、日常生活に支障があるというような話を聞いたこともなかった。

「お母さん、体調でも悪いの?」

さすがに心配になって、おそるおそる探りを入れてみた。

「別に。おかげさまで、元気よ」

母はほがらかに答えた。それならなぜ、と沙智がまだ腑《ふ》に落ちていないのを読み

とったかのように、

「こういうことは、元気なうちに進めておかないと」

と、すまして続けた。

「動けなくなってからじゃ、どうしようもないでしょ？」

お前はあてにできないと指摘されたようでむっとしたものの、現にそのとおりなのでぐうの音も出なかった。ひとことくらい相談してくれてもいいのにと文句を言おうにも、考えてみれば、自分だって親になんの相談もなく大きな決断をしてきた。これまで好き勝手にやってきたのを棚に上げて、母を責めるわけにもいかない。

「ここはけっこう人気があってね。前々から目をつけてたんだけど、なかなか空きが出なくて」

電話の向こうで、母ははきはきと説明していた。

通話しながらネットで施設の名前を検索してみたところ、ホテルかなにかと見紛《みまご》うような、しゃれたホームページが出てきた。トップ画面に、緑に囲まれた建物のこぎれいな外観や、広々とした食堂でくつろぐ入居者たちの写真が配されていた。図書室にシアタールーム、フィットネススタジオまで備えているらしい。

沙智にとって、高齢者――ホームページでは「シニア」という言葉が使われていた——向けの施設といえば、祖母の入っていたところの印象しかなかった。ひとりでは食事や入浴もままならないような、いわゆる要介護の高齢者が入居するものだという先入観があったのだが、母の新居はだいぶ毛色が違うようだった。

「自立して生活できることが、入居の条件なの。六十代から受け入れてるから、お母さんより若いくらいのひともけっこういるんですって」

外出や外泊の制約もないそうだ。今後、さらに年齢を重ねて介護や医療的な措置が必要になった場合は、より手厚いサービスを受けられる別棟へ移ることもできる。

「他にも何カ所か見学してみたけど、ここが一番よさそうだったから」

よどみなく語る母の声に耳を傾けつつ、こんなことが前にもあったな、と沙智はぼんやりと考えていた。いつだっけ。

しばし記憶をたどり、思いあたった。大学受験のときだ。もっとも立場は反対で、沙智のほうが熱弁をふるう側だった。

沙智のしたいようにすればいい、とあのとき母は言ったのだった。

「沙智？　聞こえてる？」

相槌《あいづち》がとぎれたのをいぶかしんでか、母が心もち大きな声を出した。

「お母さんのしたいようにすればいいよ」

沙智は言った。

必要な書類は郵便で送るから、帰国する必要はないという。しばらくして、母からの国際郵便が届いた。沙智は同意書に署名をして返送した。漢字を書くのはいつぶりだろう、と関係のないことを考えた。

母が施設に引っ越してからも、一度電話で話した。

新生活のすべり出しは順調らしく、母は上機嫌だった。あの性格からして、たとえ期待はずれなところがあったとしても素直に打ち明けはしないだろうが、それをさしひいても快適そうだった。自室の窓は庭に面していて、今の季節は桜の新緑がみごとなのだと自慢していた。秋の紅葉や春のお花見も楽しみだわ、と。

それが、沙智が母とかわした最後の会話になった。


木々の葉が色づくところも、桜のつぼみがほころぶところも、目にすることのないまま母はあっけなく逝《い》ってしまった。脳梗塞《のうこうそく》だった。

とるものもとりあえず帰国した沙智は、施設に直行した。

案内してもらった母の居室は、殺風景なほどに整理整頓が行き届いていた。ワンルームマンションのような間取りで、奥に横長の窓がとってある。外は一面、真夏の緑に塗りつぶされていた。

その窓に向かいあうように置かれた、小ぶりのデスクのひきだしに、ノートが一冊入っていた。

沙智様へ。見覚えのある端正な文字でそう書かれた表紙を開くには、少しばかり勇気を要した。

娘への思いの丈が切々と綴《つづ》られていたりしたらどうしようかと柄《がら》にもなくひるんでしまったのだったが、いざ読んでみれば、それはまったくの杞憂《きゆう》だった。ノートに書かれていたのは、湿っぽい感傷とはおよそ無縁の、こまごまとした事務連絡にすぎなかった。さすが母である。

荷物の処分にまつわる指示も、そのうちのひとつだった。箇条書きで、一ページにまとめてあった。

沙智が手もとに残したいものがあれば、とっておいて下さい。

施設に寄贈できるものは、ひきとってもらって下さい。

残りは捨てて下さい。

かっこ書きで、(※プロに依頼するのも一案です)と注釈が加えられ、余白に業者の名刺が貼りつけられていた。そういえば、実家を売ったときに、遺品整理の専門業者を呼んだという話をちらっと聞いた覚えがあった。父の趣味はクラシック鑑賞で、大量のレコードと立派なプレイヤー一式を遺して逝った。ところが母も、また沙智も、残念ながら音楽全般にまるで興味がない。あの母でも、亡き夫が熱心に買い集めたお宝――と当人は呼んでいた――をむげに捨ててしまうのははばかられたのか、長らく手をつけあぐねていたようだった。

実家を引き払うときの片づけを、沙智は手伝っていない。

「わざわざ帰国してもらうのも悪いから」

と、例によって母に断られたからだ。

「沙智の荷物もちょっとだけ残ってるけど、どうしたらいい？　ほしいものだけでも、そっちに送る？」

「いや、全部捨てちゃってもらってかまわないよ」

必要なものはすでに持ち出している。実家に二十年以上も放ってあったものは、つまるところ不用品だ。

「そう？」

母は話を切りあげかけて、「そういえば」と思いついたように続けた。

「お母さんのよく着てたスーツって、覚えてる？　紫の」

「紫？」

「薄い紫、藤色っていうのかしら。ジャケットとスカートがセットになってる、ツイードの。沙智の小学校の入学式にも着てたでしょう」

「ああ」

まっさきに思い浮かんだのは、校門の前で親子ふたりが並んでいる写真だった。実家の客間に飾ってあった一枚である。沙智は紺色のワンピースを着て真新しいランドセルを背負い、母は淡い紫色のツーピースを身につけている。

次いで、当日の記憶もよみがえってきた。沙智の入学式は、当時母の赴任していた学校の始業日よりも一日早かった。重ならなくてよかった、と母は意外なほど喜んで、せっかくだからとスーツまで新調したのだった。

「あのスーツ、沙智にあげるわ。きっと似合うから」

母に言われて、沙智は面食らった。

「え？　いいよ」

どう考えても似合いそうにないし、そもそも沙智の趣味ではない。スーツなんて、着ていく場所もない。

「そう？」

母にしては珍しく、落胆《らくたん》のにじんだ声に、沙智は再び戸惑った。気まずくなって、わざと明るく返した。

「お母さんが着れば？」

「ウエストが入らないのよ」

母は不満げに答えた。すでに、ふだんの調子に戻っていた。

スーツケースを開けると、日本の夏特有の、むわっと蒸し暑い空気がもれ出てきたような気がした。

中身を順に出して、ベッドカバーの上に並べていく。たいした量ではない。古いアルバムが数冊、アクセサリーの入った小箱、それから、クリーニング店のビニールにくるまれた大きな包み。

母の居室の、わが家の何分の一しかない小さなクローゼットの片隅でこれを発見したときには、びっくりした。沙智にすげなく断られて、てっきり母はスーツを処分したのだとばかり思っていた。母の書き残した三択に従って、さくさくと荷物の仕分けを進めていた手が、ぴたりととまってしまった。これが沙智に似合うと言いきった母の、いかにも母らしい、自信たっぷりの声音が耳の中で響いていた。

施設に寄贈しても迷惑だろう。かといって、ごみ袋にぽいと放りこむのもためらわれた。消去法でスーツの行く末は決定し、とはいえ、その場で袖を通してみようという発想もわかなかった。

日本ではとりそびれたままになっていたビニールに、沙智はそろそろと手をかける。

ジャケットの両肩を持って、広げてみた。これを身につけた母の姿を覚えている。入学式の後も、自校の行事やあらたまった集会のときに、よく着ていた。愛用していたわりに傷んでいない。大事に手入れしていたからだろうか。生地や仕立ても上等なのかもしれない。沙智が小学一年生のときにあつらえたということは、かれこれ三十五年も経っている。

頭の中で計算してみて、ぎょっとした。あの入学式当時、母の年齢は今の沙智とほとんど変わらない。

観念して、着ているニットを脱いだ。Tシャツ一枚になり、その上に思いきってジャケットをはおってみたら、勢いがついた。ジーンズも脱ぎ捨ててスカートをはいた。似合っているかどうかはさておいて、サイズはぴったりだ。

クローゼットの扉を大きく開き、内側についている鏡に全身を映してみて、ひっと息をのんだ。

母がいる。

沙智は息を詰め、鏡の中の自分と見つめあった。またしても、眉間《みけん》に深くしわが寄っている。難しい顔、と数時間前に夫が言ったのも、これだろう。ただ考えこんでいただけなのに、気を悪くしたのかと心配されてしまった。

母も、考えていただけだったのだろうか。

今まで考えつかなかった可能性が、ふと脳裏《のうり》にひらめいた。ひそめた眉は、不満の表れでもいらだちのせいでもなく、真剣に頭を働かせているしるしだったのか。昔のようには理解できなくなってしまった娘を、それでも理解しようとして。

「シャワー、空いたよ」

声をかけられて、沙智は肩越しに振り返った。寝室の戸口に、顔をほんのりと上気させ、肩からタオルをかけた夫が立っていた。

「どうしたの、それ？」

沙智の全身に目を走らせて、夫は感心したように言った。

「似合うね」

沙智は鏡に向き直った。眉間のしわは消えていた。

〈つづく〉

松《しょう》籟《らい》邸《てい》の隣人

第十九回

宮本昌孝

Miyamoto Masataka

第十六話　道行夏　氷人《みちゆきなつのひょうじん》

大暑《たいしょ》は過ぎたが、日中はまだまだ威圧《いあつ》するような暑さに被《おお》われ、凝《じ》っとしていても汗が噴き出す。

わけても仕事場が常に高温な陸蒸気《おかじょうき》の機関士たちの夏は、層倍の苦闘《くとう》を強《し》いられる。

大磯《おおいそ》駅の停車場《ていしゃば》から、汽笛《きてき》を鳴らしてゆっくりと動き始めた陸蒸気の機関室では、ハンドルと各種の計器を操作する機関士も、ボイラーに投炭する機関助士も、頭から水をかぶったように汗まみれだ。炎《ほのお》の前で作業する機関助士のほうは、全身を濡《ぬ》らす汗が熱せられて、それとはっきり見える濛々《もうもう》たる湯気《ゆげ》を発している。機関士たちほどではないものの、徒歩で新道《しんみち》の坂を上《のぼ》るふたりも、汗拭《あせふ》きの手拭《ぬぐい》を手放せない。

「婆《ばば》さまもご心配だろうに……」

と少し案じ顔になった吉田茂《よしだしげる》に、

「ああいう人生経験の豊かなひとは、どんなときでも普段通りなんじゃないか」

分かったような口を利《き》くのは田辺広志《たなべひろし》だ。

「そうかなあ……」

婆さまとは、大磯駅前の岩崎《いわさき》家の別荘・陽和洞《ようわどう》に暮らす岩崎美和《みわ》。三菱《みつびし》財閥の総《そう》帥《すい》の座を甥《おい》の久弥《ひさや》に譲ったあとも、相談役として重きをなしつづける岩崎弥之助《やのすけ》の老母である。

弥之助の妻で、美和も実のむすめのように愛《め》でている早苗《さなえ》の父・後藤象二郎《ごとうしょうじろう》が、いま箱根《はこね》の後藤家別邸で重篤《じゅうとく》なのだ。また、象二郎の後妻の雪子《ゆきこ》は、いまは亡き三菱の創業者で美和の長男・弥太郎《やたろう》の養妹《いもうと》でもある。

そんなときなのに、美和は吉田家と田辺家へ使いの者を寄越《よこ》した。茂と広志は茄《な》子《す》を取りにくるようにという。陽和洞の畑で手ずからいろいろな作物を育てている美和が、収穫時にふたりを呼びつけるのはいつものことではある。

茂と広志の後ろから二頭立ての乗合馬車《のりあいばしゃ》がやってくる。幌《ほろ》は畳《たた》まれており、男ひとりと、女三人が見えた。

喘《あえ》ぎながら馬車を追いかける男たちもいる。服装からして、商家の奉公人《ほうこうにん》だろう。馬車の男女は主人とその家族か。

急いでいるようすなので、茂と広志は路傍《ろぼう》に身を避《よ》け、かれらの通過を待った。

「柱時計が止まってることに、なぜ気づかなんだ」

「それ以前に、お前は日頃から寝過ぎだ」

「相《あい》すみませぬ。ほんとうに相すみませぬ」

奉公人たちの会話が聞こえた。若い丁稚《でっち》が上長《じょうちょう》から大声で叱《しか》られている。

「上りに乗るんだろうな」

と広志は推測した。

「七時台の上りは、たぶん出たばかりだよ」

松籟邸《しょうらいてい》を出る前に時計を見た茂の感覚では、いまは午前八時に近い。七時台の一本は発車したのではないか。次の上り列車は九時台のはずだから、随分《ずいぶん》と待たねばならない。

「なら、下《くだ》りだな。下りなら八時台の……」

目の前を過ぎてゆく乗合馬車の乗客を、何となく目で追う広志が、ふいに言葉を切って、少し驚いたように、あっ、と言った。

「どうした、田辺くん。知り人《びと》でも乗ってるの」

「村井吉兵衛《むらいきちべえ》さんだ」

「いま、村井吉兵衛って言わなかった」

たしかめるように、茂は訊《き》いた。

「言ったよ」

前回までのあらすじ

吉田茂《しげる》は父・健三《けんぞう》が亡くなったため、若くして吉田家の当主になる。藤沢の耕餘塾《こうよじゆく》を卒業した茂は、東京に住む実父・竹内綱《つな》の屋敷に住み、学生生活を送っていた。夏休みになり、茂は母のいる大磯に戻り、外相・陸奥宗光《むつむねみつ》の許《もと》を訪ね、隣人で友人の天人《あまと》と陸奥宗光夫人・亮子《りょうこ》の馴れ初めを聞く。尋常中学校を卒業した茂が再び大磯へ帰ったとき、孤児だった天人がシンプソン家の養子になった経緯《いきさつ》が明らかになる。そんな折、天人が、大磯の別荘に来ていた大隈重信《おおくましげのぶ》を襲おうと企《たくら》む男を捕まえる。

「へえっ、あのタバコ王と同姓同名のひとなんだ」

京都の極貧《ごくひん》のタバコ行商から崛起《くっき》し、日本初の両切り紙巻きタバコ「サンライス」の発売で潤《うるお》った村井吉兵衛は、その収益をはたいて渡ったアメリカで本格的にタバコの製法を学び、帰国するや、輸入の葉タバコを用いて製造販売した「ヒーロー」が空前の大ヒットをもたらす。それを機に、五千を超えるといわれる日本のタバコ製造業者の中で、「天狗煙草《てんぐタバコ》」の岩谷《いわや》商会の岩谷松平《まつへい》と並び称されるタバコ王の名声を得た。

「本人さ」

と広志が言った。

「嘘《うそ》つけ」

茂は信じない。

「本当だよ。昨日、会ったんだから」

真顔《まがお》の広志である。

「まさか、田辺くん。親戚かい」

「おれン家《ち》にそんな有名な親戚なんて、いるわけないだろ」

「じゃあ、どういうこと」

「なんでもサフランに興味があるとかで、突然、辰五郎《たつごろう》さんの家を訪ねてきたのさ。で、おれは偶々《たまたま》、居合《いあ》わせたから」

広志は、松籟邸からも田辺家からも近い国府本郷村《こうほんごうむら》の篤農家《とくのうか》・添田《そえだ》辰五郎の薬用サフラン栽培を手伝っている。

「そうなんだ。きっと岩谷商会に対抗心を燃やして、商売になりそうな別の事業を探してるのかもね」

村井の最大の競争相手である岩谷松平は、タバコ以外にも様々な事業を展開しているのだ。

「田辺くん。ビジネス・チャンスじゃないか」

「チャンスって、何だっけ」

「何かをするのによい機会って意味だよ。なにせ村井吉兵衛は斬新《ざんしん》で大々的な宣伝、広告で有名だからね。つい最近だって、『バアジン』をびっくりするような懸《けん》賞《しょう》付きで売り出したし」

新商品の輸入タバコの「バアジン」を売り出すにあたり、懸賞に当たれば豪華な景品を進呈すると村井兄弟商会は大宣伝した。金時計、自転車、幸田露伴《こうだろはん》の小説などが、その景品だという。

「チャンスなしだと思うよ。あのひと、辰五郎さんの話を聞き終える頃には、興味をなくしたように見えたから」

「でも、わざわざ陸蒸気に乗って訪ねてきたんだから、少しは脈ありなんじゃないの」

「わざわざじゃなくて、大磯の別荘に来たついでらしい」

「タバコ王の別荘なんてないだろ」

「大隈卿《おおくまきよう》の別荘だよ。詳《くわ》しくは知らないけど、遠い縁戚《えんせき》とかって話だったな」

村井の妹のひとりは旧佐賀《さが》藩士の海軍中将《ちゆうじよう》・真木《まき》長義男爵《ながよしだんしやく》の四男の許嫁《いいなずけ》であり、この四男の嫂《あによめ》というのが大隈重信《しげのぶ》夫人・綾子《あやこ》の姪《めい》にあたる。その関係により、村井は大隈本人から、いつでも大磯の別荘を使ってよいと許されたのだ。

茂と広志が駅前の広場へ出たところで、ちょうど下り列車が停車場に入ってきた。

しかし、件《くだん》の乗合馬車の乗客らは、そのまま留《とど》まって降車する気配《けはい》はない。あのひとが村井吉兵衛だと広志が指さした男も、扇子《せんす》で顔を煽《あお》いでいるばかりだ。

その吉兵衛に向かって、奉公人らが幾度《いくど》も頭を下げているので、

「やっぱり上りに乗り遅れたんだ」

ひとり納得《なっとく》した茂である。

同乗の女たちは、三人ともタバコを吹かしている。

（お妾《めかけ》さんかな……）

岩谷松平は銀座の自身の屋敷に二十人以上の妾を住まわせているそうなので、ひょっとしたら、村井はそういうところも張り合っているのかも、と茂は邪推《じやすい》してしまう。

広場に待機中だった楽隊が、海水浴客を歓迎する演奏を始めた。夏の大磯では恒例《こうれい》のことだ。

各旅館の送迎係、人力車夫《じんりきしやふ》、乗合馬車の馭者《ぎよしや》といった者らが、駅舎の改札の近くまで寄っていく。

かれらより少し離れたところに立って、改札を注視する者らは、別荘族の出迎えの使用人たちである。別荘族はたいてい、混雑を避けて列車からゆっくり降りてくるのだ。

陽気なざわめきと共に、陸蒸気から降りた乗客が続々と改札を出てきた。駅前は一挙に喧騒《けんそう》の巷《ちまた》となる。

茂と広志が陽和洞の門のほうへ足を向けかけたとき、喧騒の中から不穏《ふおん》の気が伝わった。

「お誂《あつら》え向きのところにいやがったぜ」

尻端折《しりはしよ》り姿の男がふたり、怒号《どごう》を上げながら、村井の乗る馬車へ駆け寄ったのだ。ざんぎり頭《あたま》と二分《にぶ》刈りである。

村井の奉公人たちは、主人の乗るキャビンを守る形をとったものの、おどおどしている。相手はふたりとも凶相《きようそう》で、屈強そうなのだ。

「村井吉兵衛っ」

「なんや、あんさんらは」

村井が見咎《みとが》めた。落ち着いている。

「この大嘘つき野郎《やろう》がっ」

ざんぎり頭が、懐《ふところ》から出したものを、キャビンの中へ投げつけた。タバコの空《あ》き箱である。パッケージに「バアジン」と印刷されたものだ。

「なるほど。昨日の阿呆《あほう》どもと同じ穴の狢《むじな》ゆうわけやな」

嗤笑《ししよう》する村井だった。

日本橋室町《にほんばしむろまち》に構える村井兄弟商会の東京支店が、暴徒の襲撃《しゆうげき》をうけ、店は壊《こわ》され、陳列《ちんれつ》してあった懸賞用自転車も川に投げ捨てられるという事件が起こった。昨日の八月三日のことである。混乱の中、東京支店の社員が大磯滞在中の村井に通報できたのは深夜になってからで、そのときには大磯発の最終上り列車に間に合わない時間となっていた。それで本日、午前七時台の上りに乗ろうとしたところ、皆を起床させる役目だった丁稚が寝過ごしたことで、乗り遅れてしまったという次第である。

襲撃の理由は、「バアジン」が爆発的な売れ行きだったのに、懸賞に当たった者はひとりもいないという噂《うわさ》が流れたからだ。さらに、現実の景品は、金時計や自転車などではなく、取るに足らぬ小冊子だったとも。

茂と広志は、しかし、凶相の男らと村井がなぜ揉《も》めているのか分からない。昨日の今日だから、まだ事件のことを知らないのだ。

「よもや居直《いなお》るつもりか、村井吉兵衛」

二分刈りが喚《わめ》いた。

「誇大宣伝ぐらい、この業界では誰でもやっとるがな、岩谷松平はんもな」

村井がそう言うと、二分刈りは目を吊《つ》り上げ、

「うちの社長は」

とさらに声を張ったが、

ざんぎり頭に止められた。

「おいっ」

が、後の祭りである。みるみる二分刈りが動揺していく。

「問うには落ちいで語るに落つるやな、慈善職工《じぜんしよっこう》さん」

村井は、にやりとする。

岩谷松平は、タバコ製造工場の工員に物もらい、囚人《しゅうじん》、刑務所からの出所者などを雇用《こよう》することで知られ、岩谷自身はこれを「慈善職工」と称し、その数三万人とも五万人とも喧伝《けんでん》した。これだけ多大な社会貢献《こうけん》をしているぞ、というアピールである。

「東京支店への襲撃は、おおかた岩谷はんがあんさんらに命じて、庶民を煽動《せんどう》しはったんと違《ちゃ》うか」

「そんな汚《きた》ねえこと、うちの社長がするもんけえ」

露見《ろけん》したからには仕方ないと思ったか、ざんぎり頭も二分刈りに倣《なら》ってしまう。

「そやろな。こっちが訴えたところで、あんさんらの社長はんにまでは司直《しちょく》の手は届かしまへん」

村井吉兵衛と岩谷松平は対立関係にあることで知られる。

米国タバコの信奉者の村井は輸入葉を、国粋《こくすい》主義者の岩谷は国産葉を用いる。タバコの銘柄《めいがら》も、村井は英語をカタカナで、岩谷は日本語を漢字で表記する。ともにあらゆる媒体《ばいたい》を駆使する宣伝、広告合戦《がっせん》でも、村井が馬車と楽隊を列《つら》ねて賑々《にぎにぎ》しく行えば、岩谷は自転車宣伝隊の大人数を東京中に走らせる。シンボルカラーは、村井が白、岩谷は赤で、さながら源平《げんぺい》合戦なのだ。

そのため、これまでも幾度となく悶着《もんちゃく》を起こしてきた。だが、競争相手の店舗《てんぽ》襲撃はさすがにやりすぎである。むろん、岩谷の差し金というのは村井の勘繰《かんぐ》りにすぎないし、事実であったとしても、明らかにするのは難しいだろう。

「問答無用じゃあ」

二分刈りが、村井の奉公人らを乱暴に押し退《の》け、馬車のキャビンに手をかけた。ざんぎり頭も跳《と》びついて、ふたりしてキャビンを揺さぶり始める。

女たちの悲鳴が上がる。

しかし、にわかに、暴漢ふたりの動きが止まった。両人の間に、きらりと光るものが突き出されたからだ。

「あっ……」

サーベルを手にしている体格の良い髭面《ひげづら》に、茂も広志も見憶《みおぼ》えがあった。というより、個性が強すぎて、忘れるものではない。

「後藤猛太郎《たけたろう》先輩だ」

ちょっと嬉《うれ》しそうに言って、寄っていくのは茂だ。

「ならず者を先輩って称《よ》ぶな。戻れよ、吉田くん。おれは関係ないからな」

広志は逆に、足早に遠ざかって、陽和洞の門のところまで離れた。

茂と広志の母校である藤沢《ふじさわ》の耕餘塾《こうよじゆく》を、好き勝手に暴《あば》れたあげくに中途退学した猛太郎は、ならず者として語り継がれている。

ふたりが猛太郎に初めて会ったのは六年前の夏である。陸蒸気の車内でも傍若《ぼうじやく》無人《ぶじん》だったので、広志は関《かか》わりたくないと思った。が、茂のほうは、その夏、天人《あまと》とともに猛太郎の鬼退治《おにたいじ》に同行し、好感を抱《いだ》いたのだ。

「こっちを向け」

猛太郎に命じられたざんぎり頭と二分刈りは、恐る恐る振り返って、キャビンを背にした。

「何があったかはどうでもいい。大磯は行楽地だ。気分の悪くなるようなことをするやつは、二度と来るな」

猛太郎は、サーベルを二度、振った。

ざんぎり頭と二分刈りの細い腰帯が、どちらもすぱっと斬《き》られて、揃《そろ》って前をはだける恰好《かっこう》となった。両人とも絶句する。

「いい斬れ味だ。よく手入れしているようだな、桑原《くわばら》」

と猛太郎は、後ろに立つ者へ声をかけた。

「わたくしではございませぬ。お手入れは常に、お父上おんみずからなされておられました」

猛太郎の父は後藤象二郎である。

桑原は、後藤家の使用人で、大磯における別荘・二扇庵《にせんあん》の維持、管理を任とする。茂も見知っている者だ。

「それなら、棺桶《かんおけ》に入れるのはやめだ。形見《かたみ》として、おれが貰《もら》う」

「猛太郎さま。お父上はまだ……」

あとの言葉を濁《にご》す桑原だが、

「今日明日だろうよ」

猛太郎は軽く言った。

「で、おのれらは何をしている。次は肉を断《た》つぞ。さっさと去《い》ね」

震《ふる》えて立ち尽くしているざんぎり頭と二分刈りを、猛太郎は威《おど》した。慌《あわ》てて逃げ出す両人である。

「お助けいただき、おおきにありがとう存じます」

村井が、馬車から降りて、猛太郎に感謝した。

「お礼をさせていただきとうおますさかい、ご尊名をお聞かせ願えますやろか」

「悪いが、急いでるんだ。あんた、タバコ屋の村井だろ。いずれ、あんたの店に行く。礼はタバコ一生分でいい」

「タバコ一生分にございますな。して、銘柄は」

「全部だ」

「たしかに承《うけたまわ》りましてございます」

「じゃあな」

猛太郎は、サーベルを鞘《さや》に納めると、桑原に導かれて、大股《おおまた》で二頭立て馬車のほうへ向かう。キャビンに左三《ひだりみ》つ藤巴《ふじどもえ》の家紋《かもん》が打たれた後藤家所有のものだ。

重篤の父・象二郎に会うため、箱根へ馳《は》せつける途次《とじ》の猛太郎である。連日遊んでいた横浜から陸蒸気に乗って大磯へ寄ったのは、象二郎の生涯自慢のサーベルが二扇庵にあると知って、意識が遠のく前にこれを握らせてやろうと思ったからだ。

「猛太郎さん」

小走りに追いかけながら、茂はならず者の名を呼んだ。

「おう、吉田の小僧ではないか」

猛太郎は足を止める。

「憶《おぼ》えていて下さったのですね」

「でかくなっておれば分からなかったろうが、お前、相変わらずちんまいな。幾歳《いくさい》になった」

「来月の誕生日で満十九歳です」

「なら、とっくに女はおぼえたよな」

「それは……」

茂は口ごもる。

「だらしないやつだ。シンプソンに言っておけ。舎弟《しやてい》に女体《によたい》の愉悦《ゆえつ》を教えるのは兄貴分のつとめだってな」

博徒《ばくと》の親分宅に居候《いそうろう》した経験を持つだけに、こういうことを面白《おもしろ》がって、なかば本気で言うのが猛太郎なのだ。シンプソンとは天人をさすが、むろん天人と茂は兄貴と舎弟ではない。

「そのサーベル、もしや英国女王からの恩賜《おんし》のひとふりではないですか」

柄《つか》の獅子頭《ししがしら》の象牙《ぞうげ》彫刻が目に入ったので、茂はちょっと昂奮《こうふん》した。

「よく分かったな」

「やっぱり」

「いつかじっくり見せてやる」

言いながら、猛太郎は馬車に乗り込んだ。

幕末の最末期の慶応《けいおう》四年（一八六八）二月三十日、京都において、パークス英国公使は宿所の知恩院《ちおんいん》から参内《さんだい》のため御所《ごしょ》へ向かう途上、ふたりの刺客《しかく》に襲われる。このとき土佐《とさ》藩政の立場で公使に随行《ずいこう》していた後藤象二郎は、応接掛《がかり》の中井弘《なかいひろし》とともに、刺客のひとり朱雀操《すざくみさお》を討ち取った。その功により、ヴィクトリア英国女王より金色《こんじき》のサーベルを賜《たまわ》ったのである。刀身には、事件の日付と「後藤象二郎に贈呈」と英語で彫られている。

桑原が馭者となり、猛太郎を乗せた二頭立て馬車は走り出した。大磯から箱根までは八里八町、三十二キロメートル余りである。充分、明るいうちに着けるだろう。

茂は、猛太郎を見送りながら、目の端《はし》に村井吉兵衛の姿も捉《とら》えた。去りゆく猛太郎に向かって、村井は深々と頭を下げている。出来《でき》の良い商人《あきんど》らしい振る舞い、と茂は思った。

　このタバコ王も、五年後、大磯に一万三千三百坪の土地を購入して、別荘を建てることになる。

　いつのまにか陽和洞の門外へ出て、広志と何やら喋《しやべ》っていた岩崎美和が、ふんっ、と鼻を鳴らした。

「村井の両切りじゃ、天狗《てんぐ》の口付きじゃちゅうて、もうひとつじゃきに。タバコはキセリで吸うがいちばんええ」

　美和の故郷の土佐（高知県）では、煙管《キセル》のことをキセリと発音する。

　維新後は政治家として緻密《ちみつ》さに欠けたものの、東洋の豪傑《ごうけつ》という称に相応《ふさわ》しい豪《ごう》放《ほう》さで多くの後進に慕われた後藤象二郎は、明治三十年（一八九七）の最も暑い盛りの八月四日、箱根の別荘で逝《い》った。満年齢では五十九歳である。

　後藤の別荘・二扇庵を知る大磯の人々には、翌《あく》る五日に悲報が伝わった。

（間に合ったのかな……）

　猛太郎の箱根到着と同日の死去だから、象二郎の息のあるうちに父子《おやこ》が別れの言葉を交わせたかどうかは、茂には分からない。

他方、東京で訃報《ふほう》を受けた陸奥宗光《むつむねみつ》が、みずからも病床《びようしよう》にありながら、口述《こうじゆつ》筆記による『後藤伯《はく》』を遺《のこ》している。後藤とは、坂本龍馬《さかもとりようま》を通じて、幕末以来の旧友だったのだ。

その陸奥のほうが、茂は心配である。

だが、陸奥の主治医のひとりである松本順《まつもとじゆん》から、病状を訊く機会を得られない。順は八月も六、七月以上に多忙で、きょうも上京中だった。永《なが》く親交を結ぶ十二代目守田勘弥《もりたかんや》も病状が思わしくないためだ。

折しも、東京では惨事が起こっている。

両国《りようごく》の川開きに押し寄せた納涼客《のうりようきやく》が、隅田川《すみだがわ》に架《か》かる両国橋の橋上に隙間《すきま》もなくひしめいて、名物の打ち上げ花火を見物中の午後八時半頃、多勢の圧力で木造の欄干《らんかん》が壊れてしまい、少なくとも百人以上が川に転落したのだ。八月十日のことだった。

当夜の死者二十九名、負傷者多数と発表された。初めから十艘《そう》ほどの小型ボートを率《ひき》いて、不測の事態に備えていた水上警察の快明丸《かいめいまる》ばかりか、船宿の伝馬船《てんません》、遊《ゆ》山船《さんぶね》、さらには肥船《こえぶね》などもただちに転落者たちの救助にあたったので、夜間だったことを考慮《こうりよ》すれば、犠牲者はむしろ少なかったといえるかもしれない。

また、日本橋署に捜索願いが出された百五十四件中、百十二件は事件三日後の朝までに無事が確認された。

「ということは、まだ四十二件が生死不明か」

と広志が言った。

「あれからまた一週間経《た》ってるから、件数はもっと減ってるんじゃないかな」

茂のほうは、そうあってほしいという口ぶりである。

「だけど、江戸の入海《いりうみ》まで流されちゃったら、死体なんてもう見つからないだろう」

「田辺くん。いくら他人だからって、死んだってきめつけるのはよくないよ」

今年は年頭から大磯ゆかりのひとが不幸に見舞われていると感じる茂なのだ。

日本の学会の元老というべき存在で、大磯に別荘を持つ西周《にしあまね》が死去したのは一月のことだった。夏になると、海水浴場大磯を大いに宣伝してくれる五代目尾上菊《おのえきく》五郎《ごろう》の養子・二代目菊之助《きくのすけ》が若くして没し、次《つ》いで、松本順と誼《よしみ》を結ぶ九代目《くだいめ》市川団十郎《だんじゅうろう》の後継者・新蔵《しんぞう》も失明後に急死した。加えて、後藤象二郎である。

こうなると、重病の陸奥宗光も長くないのではないか、と思えてきてしまう。むろん、決して口にするつもりはないが。

「吉田くん。こうみえて、おれだって陸奥伯爵《はくしゃく》のことは心配なんだぜ」

友の心中を察して、広志が茂の肩に手を置く。

「分かってる」

茂も微笑《ほほえ》み返した。

松籟邸の海側の石垣《いしがき》下の近く、血洗川《ちあらいがわ》に架けられた短く簡易な丸木橋《まるきばし》の上に、ふたりは腰を下ろしている。潮風が心地《ここち》よい。

茂の腿《もも》のあたりに両の前肢《まえあし》とあごをのせて、ちょっとまどろみかけているのは、愛犬のポチだ。些《いささ》か年齢《とし》をとったせいか、近頃は待つことに慣れてきた。

「身代わり地蔵さんにお参りするか」

と広志が提案する。

「いいね。行こう」

茂はポチを抱き上げた。

西小磯と国府本郷のちょうど境のあたり、松籟邸の目と鼻の先といえるところに建つ浄土宗西長院《じょうどしゅうさいちょういん》は、行基《ぎょうき》作と伝わる石造の地蔵で知られる。

鎌倉時代、梶原景時《かじわらかげとき》の家来の悪太郎義景《あくたろうよしかげ》という者は、この地の地蔵尊に深く帰依《きえ》していたが、ある日、鶴岡八幡宮《つるがおかはちまんぐう》に社参の将軍・源頼朝《みなもとのよりとも》に狼藉《ろうぜき》を働き、その場で畠山重忠《はたけやましげただ》に斬られてしまう。重忠は鎌倉武士の鑑《かがみ》と謳《うた》われた剛勇の士だ。ところが、重忠の剣をもってしても義景の身体《からだ》には疵《きず》ひとつつけられなかった。これは、地蔵尊信仰による霊験《れいげん》に違いないとして、義景は助命された。

また、室町《むろまち》時代には、毎夜、この地蔵尊に詣《もう》でていた娘が、悪徒どもの待ち伏せをうけて首に斬りつけられ、悲鳴を上げて倒れたものの、すぐに立ち上がって何事もなかったように家へ帰っていった。すると、代わりに地蔵尊の首が落ちていたという。

以来、地元では延命地蔵、身代わり地蔵、首切れ地蔵などと称《よ》ばれ、やがて江戸時代の元禄《げんろく》年間にこの尊像を安置する堂宇《どうう》が建てられたのである。

日清《にっしん》戦争のとき、大磯から少なくとも五、六十人は従軍したが、子や兄弟や友人の無事を祈って西長院に詣でる人々が、地元民以外でも引きも切らなかった。出征者の延命や身代わりをお地蔵さんに願ったのである。

茂と広志も、陸奥宗光が奇跡的に恢復《かいふく》するよう、地蔵尊に縋《すが》る気になったのだ。

いまはもう、朝夕を除けば、例祭などの行事でもない限り、日中に参拝する者は稀《まれ》である。

人けのない境内《けいだい》へ踏み入ったところで、急にポチが参道を走り出した。野良猫《のらねこ》を見つけたのだ。

茂たちの視界からポチの姿が消え、稍《やや》あって、人声《じんせい》が聞こえた。本殿のほうからだ。大きくはないが、女の悲鳴と思われる。

「ポチっ」

愛犬に何かあったのか、あるいは、ポチが野良猫を追いかけたことで参拝者が何かとばっちりを食らったのか。いずれにせよ心配なので、茂は参道を奥へ向かって走った。広志もつづく。

本殿の階《きざはし》の下で、尻餅《しりもち》をついた男が左足首のあたりを押さえ、これを介抱《かいほう》する女がいて、ポチはといえば、その男女のまわりを、どこか戸惑《とまど》い気味《ぎみ》にうろうろしていた。

目の前の光景からして、ポチが加害者側と見えるが、茂はいったん謝罪の言葉を呑《の》み込んだ。

状況を正しく把握する前に、自分に少しでも不利な発言をすることを、アメリカでは決してしない。これは外交の鉄則であり、庶民の日常においても同様である。

いつか世界を相手の外交の仕事に就《つ》きたいのなら憶えておいたほうがいい、と天人が語ってくれたことだ。ただ、このアメリカ流に茂自身が倣うことを奨《すす》めはしない、とも天人は付け加えたが。

「ぼくの犬が何かしたのなら、謝《あやま》ります」

結句《けっく》は打算のない素直な気持ちが出てしまった茂である。

「猫です」

と女が頭《かぶり》を振る。

女の年齢というのは見た目だけでは測《はか》り難《がた》いが、自分とそう変わらないような気のする茂だった。男のほうも若そうだが、こちらは少し歳上《としうえ》ではないか。

男女とも行李《こうり》を背負っており、傍《かたわ》らには風呂敷包《ふろしきづつ》みも二つ、置かれている。商人には見えないから、旅の途次なのかもしれない。

「すごい勢いで向かってきたので、このひとは避けようとして足を滑《すべ》らせてしまったのです」

「それならやっぱりぼくの犬のせいです、にわかに猫を追いかけたので。ごめんなさい」

「きみが謝ることはないよ。猫一匹ぐらいに驚いたこっちが情けない」

と男が、おもてを顰《しか》めながら、自嘲《じちょう》気味《ぎみ》に言った。

「そうですとも。お気になさらないで」

女も茂を見やって、軽く頭を下げる。

（善良なひとたちだ）

最初に謝って良かった、と茂はあらためて思った。

「起《た》てますか」

茂は男に手を添えた。すかさず広志も手伝う。

「うっ……」

茂と広志に両脇から抱《かか》えられ、立ち上がるさいに、男は呻《うめ》いた。ひどく痛そうだ。

「折れてるんじゃないか」

と広志が言う。

「やめろよ、田辺くん。縁起《えんぎ》でもない」

「悪い、悪い」

「とりあえず、ぼくの家で息《やす》んで下さい。すぐ近くですから」

と茂は男女を交互に見た。

「ありがとう存じます。でも、ご迷惑ですから」

女がそう言って、男に頷《うなず》いてみせる。

「こんなの、たいしたことはない。お気持ちだけ受け取らせてもらうよ」

男も固辞《こじ》する。なぜか早口だった。

善良さからの遠慮とみえる一方、何やらこれ以上は関わりたくないのかもしれない、とも茂は感じた。

男が女のほうへ手を伸ばし、女も応じたので、茂と広志はふたりとも身を離した。

「せめて、ご門前まで」

茂は、風呂敷包みのひとつを持ち上げる。もうひとつを広志が持った。

「ありがとう存じます」

女が恐縮する。

依然《いぜん》、男は左足首が痛そうで、地につけることができない。

「やっぱり、ぼくの家で息んで下さい。お急ぎなら、奉公人に俥屋《くるまや》を呼びにいかせますので」

西長院から二号国道へ出たところで、茂はもういちど勧《すす》めた。

「それがいい」

と広志も賛成する。

「重ね重ねのご厚意に感謝申し上げます。でも、本当にもう……」

女が再び固辞し、男も茂の申し出を受ける気はないようだ。

「そうですか……。行き先は大磯駅のほうでしょうか、国府津《こうづ》方面でしょうか。駅のほうなら、ぼくたちと同じ方向ですから、切通橋《きりとおしばし》まで送らせて下さい。ここから二百メートルぐらいです」

「では、その橋までお世話になります」

のろのろとした足取りで、四人は二号国道を往《ゆ》く。

秋の気配はたしかに漂《ただよ》うものの、残る暑さはまだ厳しい。駅まで送りたいと思う茂ではある。が、この男女が頑《かたく》なに拒否するからには、相応《そうおう》の理由があるのだろう。踏み込んではなるまい、と諦《あきら》めた。

切通橋へ近づくにつれ、なぜかポチの動きが慌ただしくなる。何か感じるものがあるらしい。だが、今度は野良猫は見えない。

ポチは勢いよく駆け出し、あっというまに遠ざかってゆく。

それで茂も、彼方《かなた》からこちらへ向かってくる人影を視界に捉えた。

(天人だ)

ここ数日、五色《ごしき》の小石荘《こいしそう》を留守にしている天人なので、また来夏まで戻ってこないのではと案じた茂が、シンプソン家の家令《かれい》のマイクにたしかめたところ、東京か横浜にお出かけかと存じます、というこたえだった。それで少しは安心できたものの、こうして実際に姿を見られて、初めて嬉しさが込み上げる。

茂は、腕を頭上に掲《かか》げて、大きく打ち振った。横を見れば、広志も同じく腕を振り立てているので、しぜんと破顔《はがん》してしまう。

ただ、男女はどちらも、おもてをひきつらせているではないか。

(天人を知ってるのかな……)

一瞬、そう疑った茂だが、すぐに打ち消す。

(そうか。このふたり、きっと誰かに追われてるんだ)

ちょうど切通橋のところで、茂らと天人は落ち合うような恰好となった。天人の足許《あしもと》にはポチがまとわりついている。

「このひと、足を痛めたんだ。ちょっと具合をみてくれない」

いきなり茂は天人に頼んだ。

「では、拝見」

すると、天人も、何も訊かずに、しゃがんで、男の左足首に両手を添えた。

「こちらの御方《おかた》はお医者さまでしょうか」

女は、戸惑いながらも、パナマ帽に上下とも白の洋装という長身の美男から目が離せない。

「体の痛みに関しては、医者よりも詳しいひとです」

拳闘《けんとう》にも西洋剣術にも銃にも精通し、幾つもの事件で命懸けの実践《じっせん》もしている天人だから、詳しいにきまっている、と茂は信じるのだ。

「ひどく挫《くじ》かれたようですね。おそらく骨に罅《ひび》が入っています」

「いや、このていどなら、ううっ……」

「ちょっと押しただけですが、痛いでしょう。歩かないほうがいい」

すると、女が突然、急《せ》くように言った。

「お言葉に甘えます。すぐに息ませて下さい」

茂と広志は、えっと驚く。

男が、さらに驚いたようすで、女を見た。

天人だけは後方へ視線を向ける。女がちらちらと見やっているからだ。

乗合馬車がこちらへ向かってくる。幌を畳んだキャビンの乗客は四人。まだ遠目ではっきりしないが、男ばかりのようだ。

「わたしのところがよいでしょう」

天人は、素早く男を肩に担《かつ》ぎ上げた。軽々《かるがる》である。そのまま、五色の小石荘へ通じる血洗川沿いの小道《こみち》へ入った。

女が足早につづき、つられて茂と広志も小走りになる。

川沿いの喬木《きょうぼく》も、シンプソン邸の垣《かき》の灌木《かんぼく》も、夏のことで葉が鬱蒼《うっそう》と生《お》い茂っており、小道はさながら緑のトンネルである。

茂は、車輪の音に振り返った。小道の出入口の前を、乗合馬車が横切ってゆく。

「天人。ぼくは、好助《よしすけ》に天野《あまの》先生を呼びに行かせるよ」

向きを変えながら、茂は言った。好助は松籟邸の下男《げなん》だ。

南本町《みなみほんまち》で開業した天野医院の天野快三《かいぞう》は、禱龍館《とうりゆうかん》の院長助手をつとめたこともあるので、茂はよく知っている。母の士子《ことこ》がにわかの体調不良に陥《おちい》って、松本順が大磯に不在のときは、天野に診《み》てもらうのだ。

「茂は一緒に来なさい。天野医院へはサイラスに自転車で行かせましょう」

シンプソン家の家令マイクの孫が、サイラスである。

「自転車なら、おれが行きたい」

広志が手を挙げた。

「では、広志にお願いします」

「やった」

自転車は若者には楽しい乗物なのだ。

川沿いの小道から、五色の小石荘の敷地内の敷石路《しきいしみち》、芝生《しばふ》の庭を踏んで、建物へ着くまでの間に、茂が男女と出会った経緯を手短《てみじか》に天人へ話した。

五色の小石荘に着くと、主屋《おもや》一階の広いベランダに置かれている自転車を、広志が借りて漕《こ》ぎ出ていった。

「医師は遅くとも午後の診療時間の終了後には来てくれると思いますが、その前に応急の手当《てあて》をしておきましょう」

天人は、マイクに支度《したく》を言いつけながら、みずから男を主屋二階の客室へ運び、ベッドへ横たわらせた。茂も手をかす。

「何から何まで、本当にありがとうございます。わたくしどもは……」

女が、礼を言ってから、口ごもり、ちらりと男を見やる。

男も何か迷っている表情だ。

「おふたりのことを無理に明かす必要はありません」

と天人が助け船を出す。

「それでよろしいですね、茂も」

「うん。ぼくらのただのお節介《せっかい》だから」

ドアがノックされた。

「カム・イン」

天人が返辞をすると、タオルや繃帯《ほうたい》を手にするジェーンと湯を入れた盥《たらい》を抱えるケイシーが入ってくる。

途端に、女がびくっとし、さらに、おもてを引き攣《つ》らせて、総身を震わせ始めたではないか。

「いかがなさいました」

ジェーンが手を差し伸べようとしたそのとき、女はケイシーのほうへ踏み出すや、

「いやあああっ」

金切《かなき》り声《ごえ》を発して、両手で強く盥を押した。

中身がぶちまけられ、飛び散った湯はケイシーの顔にも降りかかる。ただ、温度は高いものの、熱湯というほどではなかったので、火傷《やけど》は免《まぬか》れた。

女は、室内の隅《すみ》まで走って、そこに踞《うずくま》り、顔を被って泣きだした。

その姿に、連れの男も含めて皆が困惑する中、ケイシーだけが、何か感ずるところがあったのか、女へ歩み寄って抱きしめた。

「大丈夫よ。もう怖《こわ》くない。大丈夫、大丈夫」

優《やさ》しい声でケイシーは囁《ささや》く。

「皆さん、このお部屋を出られて、わたしたちだけにして下さい」

男へも退出するよう目配《めくば》せするケイシーだった。


男の名を当麻寛二郎《たいまかんじろう》といい、男爵家の次男である。男爵家といっても、この当麻家はもとは蔵人方《くろうどかた》に属した数多《あまた》の地下官人《じげかんじん》の一家《いっけ》にすぎず、家格も低かった。数代にわたって金貸しを副業とし、維新《いしん》の頃にはかなりの資産を貯《たくわ》えていたことで、明治十七年に爵位の制度が設けられたさい、寛二郎の父・当麻行親《ゆきちか》が関係各位に多額の贈賄《ぞうわい》をして、叙爵《じょしゃく》の栄《えい》を得たのだ。

清国《しんこく》との開戦は必至、と世論が沸騰《ふっとう》し始めたとき、寛二郎の兄で当麻家の家督《かとく》を嗣《つ》いだばかりの惣一《そういち》が、志願兵として従軍せよと弟に命じた。

「お国に尽くすのだ」

明治六年の初の徴兵令発布《ちょうへいれいはっぷ》以後、幾度かの改正によって兵役免除《へいえきめんじょ》の条件が次第に制限され、国民皆兵《かいへい》の実現は近いという時期だったものの、まだまだ抜け道はあり、行親が裏から手を回したことにより、寛二郎も徴兵を免れていた。だが、寛二郎自身は兵役を果たすべき義務と思っていたので、永く不仲の兄の命令ではあっても、むしろ勇躍《ゆうやく》する。

ただ、寛二郎には許嫁がいる。名を琴音《ことね》といい、東京の当麻屋敷に出入りする庭師の長五郎《ちょうごろう》の養女だが、出身は旗本家だというので、男爵家の次男と釣り合いがとれないことはない、と行親が婚約を決めたむすめである。もともと憎からず想《おも》い合っていた寛二郎と琴音だから、当人たちにも否《いな》やはなかった。

寛二郎は、軍隊入りの前に祝言《しゅうげん》を挙げたい、と惣一へ申し出た。命懸けの出征の前に許嫁と契《ちぎ》りを結ぶのは、何らめずらしいことではない。ところが、手柄を立ててからにせよと言い渡された。

「そのうえで妻を娶《めと》ってこそ、わが当麻家の名誉ぞ」

惣一はいまや当麻家の家督なので、寛二郎は服《したが》うほかない。それでも寛二郎と琴音は、人目のないところで一度だけ、不道徳と知りながら接吻《せっぷん》を交わした。

海軍に入隊した寛二郎は、好運にも連合艦隊の旗艦《きかん》「松島《まつしま》」の乗員となることができた。惣一の知人の上林《かんばやし》八十吉《やそきち》という者が、さきに同艦で水兵をしており、その口利きによる。下級とはいえ官人の子であることも、些かの優遇《ゆうぐう》につながったのかもしれない。

実際には、好運とはいえなかった。「松島」は、黄海《こうかい》において清国艦隊の砲弾を浴び、多数の死傷者を出したのだ。「勇敢なる水兵」として英霊《えいれい》となった三浦虎次《みうらとらじ》郎《ろう》三等水兵の乗艦である。

寛二郎は、砲撃により何ヶ所も負傷しながら、艦上を右往左往《うおうさおう》しているさなか、誰かに強く背中へぶつかられて、海へ転落した。そのさい、砲撃で破壊されて飛び散っていた何かの破片に頭をぶつけてしまう。気を失う前の最後の記憶は、板状のものに付いていた把手《とって》みたいなものを摑《つか》んだことである。

日清戦争の終結後、当麻家に届いたのは、寛二郎戦死の悲報だった。遺体はない。海の藻屑《もくず》となったのだ。

琴音は悲嘆《ひたん》にくれ、家に引きこもった。おのが唇《くちびる》に手をあてては涙を流す日々である。たった一度でも、接吻の感触が失《う》せることはなかった。

この間、折に触れて、惣一から琴音へ様々な贈物がなされた。惣一本人が訪ねてくることも度々《たびたび》あったが、琴音は体調不良を理由に、たまにしか対面しなかった。傍《はた》から見れば、惣一は琴音のことを大層気遣《きづか》っているように思われる。が、琴音本人は、惣一がいかにも優しげな笑《え》みの中から、粘《ねば》りつくような視線を向けてくるのが、たまらなく気持ち悪かった。

終戦翌年の明治二十九年も押し詰まった頃、琴音は父の長五郎から、あえて想像しないように努めていた恐怖を突きつけられる。惣一が琴音を妾にしたいという。

「いやでございます」

瞬時も躊躇《ためら》わずに拒《こば》んだ琴音だが、長五郎より、惣一に借金をしていることを初めて明かされる。このところ、得意先から立て続けに出入りを断たれて、庭師の仕事が激減しており、惣一から援助をうけたのだという。

おそらく惣一が長五郎の得意先に手を回したのだと看破《かんぱ》した琴音だが、逆に父の怒りをかう。当麻家は永くうちを贔屓《ひいき》にして下さっているのだ、みっともない邪推をするものではない、と。

そして、明治三十年となった本年の晩春、当麻屋敷では花見の宴《うたげ》が催《もよお》された。琴音の両親も奉公人らも招かれ、琴音は家にひとりきりとなった。

縁側に座し、盥に張った湯で櫛《くし》を洗っていた。その櫛は、寛二郎からの唯一の贈物であり、いわば形見の品なのだ。

盥の湯面に映る自分の表情が、少しだけ仕合《しあ》わせそうに見えた。そのとき、突然、背後に映り込んだ顔がある。惣一だった。

琴音は惣一に凌辱《りょうじょく》された。

その夜、帰宅した長五郎のようすから、むすめを生贄《いけにえ》にしたのだ、と琴音は察する。母のお政《まさ》は何も知らないようだった。

夏に入ると、琴音は当麻屋敷に部屋をあてがわれた。むろん惣一には妻がいるが、金持ちの家では妻妾《さいしょう》同居など当たり前の時代である。

琴音が自殺を決心した七月の初め、自身にとっても当麻家にとっても、驚倒《きょうとう》すべき出来事が起こった。寛二郎が生還したのである。

黄海海戦で乗艦から海へ転落、気絶したあと、寛二郎は好運にも板状のものに体を預けたまま漂流《ひょうりゅう》した。朝鮮の漁師に助けられたものの、転落時に頭を打った後遺症なのか、記憶をほとんど失っており、日本語を喋《しゃべ》るので日本人ではあろうが、自分の名さえ思い出せなかった。小さな島の漁師一家は、親切で、記憶が戻ってても戻らなくても、いつまでも居てよいと表情や仕種《しぐさ》で伝えてくれた。

靄《もや》のかかっていた脳内に、一挙に記憶が戻ったのは今春のことである。その小島へ寄った別の島の漁師が連れていた娘に、見憶えがあったのだ。見憶えというより、よく似ているというのが正しい。

(琴音だ)

あとは次から次へと湧《わ》いて出た。

ただちに帰国した寛二郎が東京の当麻屋敷へ生還してみると、予想だにしなかった辛《つら》い現実をみせつけられた。琴音が惣一の妾になっていたのだ。

「ごめんなさい。ごめんなさい」

琴音は泣きながら謝るばかりなので、寛二郎は長五郎家を訪ねて、むすめを愛するお政から経緯を聞き出した。その上で、再び当麻家へ戻って、惣一に詰め寄ったが、琴音本人が望んだことだとあしらわれる。

しかし、琴音の本心は違う。いまでもあなたと夫婦になりたいけれど、汚されてしまった身でそんな仕合わせを望んでよいものではない、と寛二郎に吐露《とろ》したのだ。

琴音とふたり、どこか遠くへ逃げたいと思った寛二郎だが、どんなに理不尽《りふじん》でも、家長の惣一に逆らうことはできない。それでも、このまま当麻家に留まるのは辛すぎる。寛二郎は、西国《さいごく》行きを惣一に告げ、その前に琴音と両国へ納涼に出かけることにした。最後の思い出である。

惣一にしても、琴音がいまだ想いを募《つの》らせる寛二郎との同居は気が休まらない。出ていってくれるのは大歓迎だから、ふたりの両国遊山を許可した。八月十日のことである。

寛二郎と琴音は、花火見物の人々で大混雑の両国橋の橋上にあえて身を置いた。

体を密着させても怪《あや》しむ者などいないからだ。

両国橋の欄干の一部が壊れて、見物客が次々と隅田川へ転落していくのを、文字通り目《ま》の当たりにしたとき、琴音は叫ぶように言った。

「寛二郎さまと死にたい」

だが、寛二郎の脳裡《のうり》には、思いがけず、海を漂流しながら生き残ったおのが姿が浮かんだ。

「ふたりで生きよう、琴音」

寛二郎は、琴音を抱いて、みずから川へ飛び込んだ。

水上警察や伝馬船、遊山船などの助け船を避けた寛二郎は、琴音を抱えたまま上流へ泳いで、川岸に上がった。人々の注意が下流へ向けられることは分かっていた。

翌日、寛二郎は、町場《まちば》から離れた寺の境内に琴音の身を潜《ひそ》ませておき、自身は夜になってひそかに長五郎家を訪れ、寝静まったあと、お政が厠《かわや》へ立つのをひたすら待った。

未明、ひとり起き出てきたお政に、寛二郎は昨夜のことを伝えた。生死不明のむすめと、むすめが本当に愛する寛二郎が、ふたりして生きていたことを、お政は泣いて喜んだ。

寛二郎は、自分たちが生死不明とみられていることを幸いとして、東京を離れ、遠方へ落ちのびるつもりだと明かした。お政にだけ知らせるのは、琴音がそうしたいと望んだからだった。

「遠くで新しい暮らしを始めるのなら、着の身着のままではいけない。当面、必要なものを、あたしが当麻家にも亭主にも気づかれずに支度しておくから」

そうしてお政が、数日かけて、行李二合《ごう》、風呂敷二包み分の荷造りをして、寛二郎に渡してくれた。

寛二郎と琴音は、いずこへ落ちてゆくにしても、大磯の西長院への御礼参《おれいまい》りだけはしておきたかった。寛二郎の出征前、ふたりで身代わり地蔵に詣でたのである。そのおかげで、寛二郎は生きて帰ることができた。たった一度の接吻を交わした場所でもあった。

しかし、惣一の粘着質の性格からして、ふたりが生きて逃げたと見破《みやぶ》りかねない。とすれば、新橋《しんばし》駅に見張りを放ったやもしれないので、寛二郎と琴音は深夜に徒歩で東京を出て、その翌日に川崎《かわさき》駅から陸蒸気に乗った。

そして、大磯の西長院で、ふたりは茂と広志に出会う。当初、茂の家で息《やす》むことを固辞したのも、素生《すじょう》を誰にも知られたくなかったからである。生死不明、というより死んだことにしておかねば、惣一が必ず追手を放つだろう。

ところが、切通橋のところで、琴音は、こちらへ向かってくる乗合馬車の乗客の中に、惣一本人の姿を発見してしまった。おぞましくて二度と会いたくない男は、遠目でも見定められるのだ。

出征前に寛二郎が琴音と大磯へ出かけたことを惣一が記憶していれば、そこから推理できたに違いない。咄嗟《とっさ》にそう思い至った琴音は、即座に身を隠す必要から、唐突《とうとつ》に茂たちへ「すぐに息ませて下さい」と言った。

そして、五色の小石荘の客室で、琴音が束の間《つかのま》、狂乱したのは、ケイシーの運んできた湯を入れた盥が、鬼畜《きちく》に乱暴された恐怖を蘇《よみがえ》らせたからである。

「ケイシー。よく聞き出してくれました。辛かったでしょう」

と天人が労《ねぎら》うように言った。

東棟《ひがしとう》のダイニングには、天人と茂のほかに、ローダを除くマイク一家も集まっている。

ローダは窓越しに見える広い庭で、自転車で天野医院へ行って戻ってきたばかりの広志と遊んでいる。　天野医師は幾人か患者を診てから、なるべく早く来てくれるそうだ。

「いいえ。わたしはもう忘れました。随分と前のことにございますから」

楽しそうなむすめのローダを眺《なが》めやりながら、ケイシーは微笑んだ。

琴音が狂乱に陥ったとき、ケイシーにはおのが過去が重なった。家族の目の前で極悪人《ごくあくにん》のブラッド・キャシディに無惨に犯されたことだ。

ケイシーは、琴音を抱きしめながら、自身のその過去を語ってきかせ、その後は心美しきひとたちに出会い、時が流れゆくことで、傷は薄れ、やがて消えて、あなたは必ず強くなると諭《さと》した。

すると、琴音も語りだした。母のお政からも、恋人の寛二郎からも感じられなかった別種のやすらぎに充《み》たされたのかもしれない。

天人は天人で、ケイシーが琴音とふたりだけにしてほしいと言ったとき、アメリカでみずからの身に降りかかった凶変を明かすつもりだと察したのだ。

琴音は、すっかり疲れたのだろう、いまは主屋二階の客室で眠っている。左足首の怪我《けが》にマイクとジェーンの応急手当をうけた寛二郎も、その琴音の寝顔を眺めながら、椅子《いす》でまどろんでいるはずだ。

「赦《ゆる》せないな、惣一ってやつ」

憤慨《ふんがい》する茂である。

「あのひとではないかな」

天人がゆっくり立ち上がった。視線は庭のほうへ向けている。

煉瓦《れんが》造りの二本の門柱の間を抜けて、六人が庭へ入ってきた。

「天野先生と看護婦さんだ」

茂には、あとの四人は見知らぬ男たちだが、すぐに思い至った。

「そうか。琴音さんたちを追ってきた連中だね」

「サイラス。ピースメイカーを」

マイクの孫で、シンプソン家では馬丁《ばてい》と庭の手入れのほか、雑用のすべてをこなすのがサイラスである。

「銃で撃っちゃうの、天人」

ピースメイカーが天人愛用のピストルであることを知る茂は、さすがに驚く。

「あちらの出方《でかた》次第です。皆は、ここから出ないように」

「かしこまりました」

とマイクが返辞をし、ジェーンもケイシーもジャックも頷く。

「ぼくはついていくよ」

と茂は、ダイニングをあとにする天人のあとを慕《した》った。天人も拒まない。

玄関扉の前のベランダへ出ると、天人は階段を下りずに、際《きわ》で停《と》まった。

「どうしたんだろう、天野先生。あんなに連れてきて」

ローダの手を引きながら走ってきた広志が、訝《いぶか》って、茂に言う。

「田辺くん。ローダと中へ入ってなよ」

「うん。アイスティー、貰うつもりだったから」

ローダは、茂とすれ違うとき、右手を挙げた。茂も応じて、その手に触れる。後世で言うところのハイタッチだ。

「すまない、シンプソンどの。このひとたちが、無礼にも名乗りもせずに、強引《ごういん》についてきましてな」

庭を階段下までやってきた天野が謝る。

「先生は患者を診てやって下さい」

「相分かり申した」

天野と看護婦は、短い三段の木造階段を上がって、玄関扉へ向かう。

「ここに当麻寛二郎という男と、琴音という女が来ておろう。匿《かくま》うと為《ため》にならぬぞ」

四人の中のあるじとみえる、ひとりだけ洋装の男が、威しの文句を吐《は》いた。

（惣一だな）

と天人は思った。

惣一は、西長院では寛二郎らを発見できず、二号国道をもう少し先まで行ったところを捜《さが》すうちに、農夫の目撃談を得た。足をひきずっている男と、それを支える女と、ふたりの若者とを、いましがた西長院の近くで見たという。男女の人相は寛二郎と琴音に間違いなさそうだった。また、若者のひとりは、松籟邸の坊《ぼ》ンじゃろう、とも。

それで、松籟邸の場所を聞いた惣一らは、そこを不躾《ぶしつけ》に訪ねたが、あるじらしき女が下男へ、警察に報《しら》せなさいと命じたので、早々《そうそう》に引き揚《あ》げた。どのみち寛二郎らが留まっていそうな気配はなかった。

再び二号国道へ出てみて、切通橋の付近で往診にゆくという医者と看護婦に出くわしたのである。寛二郎が足を怪我したのだとすれば、往診先にいるのではないか。ただ、医者は患者の名をまだ聞いていないと言った。

「あなたがたは、トレスパサーです」

天人が告げた。

「とれす……なんだと」

おもてを顰《しか》める惣一である。

玄関扉から出てきたサイラスが、天人の背へいったん寄り添ってから、戻ってゆく。

「不法の侵入者のことです。ここは私邸の内ですから」

「わしは男爵であるぞ」

「男爵であろうと総理大臣であろうと、断《ことわ》りなく他人の家に入れば、犯罪です。こういうとき、アメリカではどうするか、ご存じですか」

「知るか、そんなこと」

「では、教えてあげましょう」

背後へ回していた右手を、天人が前へ出した。

惣一ら四人は、たじろぐ。眼前の男の右手にはピストルが握られているではないか。

「撃ち殺します」

ひとりだけ、逃げようと踵《きびす》を返した。

四人は一様に青ざめて立ち尽くす。まさか本当に撃ってくるとは思わなかったのだ。

逃げ出そうとした男の足許の芝生へ、銃弾がめり込んだ。

天人は、引き鉄《がね》を絞った。

と惣一が怒鳴《どな》る。

「上林っ」

「あなたが上林さんですか。こちらを向いて、ここまで来なさい。早く」

上林がびくびくしながら階段下まで進むと、天人は階段を下りて、相手のひたいに銃口《じゅうこう》をくっつけた。

「英語のイエス、ノーぐらいはご存じですね」

「し……知ってる」

「イエスかノーで」

「イ……イエス」

「寛二郎さんを松島の艦上から突き落としましたね」

「それは……」

「イエスかノーかと言ったはずです」

天人は撃鉄《げきてつ》をカチリと起こした。

「イエス、イエス、イエス」

顔面から汗が噴き出た上林である。

「返辞は一度」

「イエス」

「そうするよう命じたのは、ここにいる当麻惣一ですね」

上林の視線が惣一へ向けられる。

「言うな、上林」

と惣一が喚く。

「イエスかノーか」

「おれは、あの……」

二発目の銃声が轟《とどろ》いた。

茂は、天人がついに相手を撃ったと思い、啞然《あぜん》とする。

だが、ピースメイカーの銃身は、上林の左耳の横にあった。上林が左耳を押さえて苦悶《くもん》している。鼓膜《こまく》が破れたかもしれない。

「次はあなたの体に撃ち込みます。こたえは、イエスかノーか」

「イエス。イエスです」

上林は、腰を抜かして、その場に膝《ひざ》から崩れ落ちた。

「当麻惣一さん。この邸宅をご覧になって、少しは察せられると思いますが、わたしは、あなたていどの取るに足らぬ男爵なら、爵位を剝奪《はくだつ》できるぐらいの力を持っています。二度と寛二郎さんと琴音さんに近づかないように。もしふたりに何か不幸が起こったときは、わたしがあなたから剝奪するのは爵位だけでは済まないと覚悟して下さい」

惣一の側頭部へ、天人は銃口を押しつけた。

「いま申し上げたことをご理解いただけましたか。イエス、オア、ノー」

「わ……分かった」

「違います」

銃口で相手の側頭部を小突《こづ》く天人である。

「イエス」

「グッド。では、出ていきなさい。わたしの気が変わらぬうちに」

空へ向けて、天人は発砲《はつぽう》した。

惣一以下、四人は、我先にと走り出し、みるみる遠ざかっていく。

「ぼく、いま分かったよ。事は、あの惣一ってやつが寛二郎さんを軍に志願させたところから、琴音さんをわがものにしたい、あいつの薄汚い計画だったんだ。天人は琴音さんの告白から、それを推理したんだね。すごいや」

「あの上林というひとも、おそらく惣一に借金があって、言うことを聞かざるをえなかったのでしょう」

「それより、天人が惣一の男爵位を剝奪できるぐらいの力を持ってるって、イエス、オア、ノー」

「オフコース、ノー。ブラフというやつです」

「なあんだ、やっぱり虚仮威《こけおど》しか」

後年に至れば、ブラフは、はったり、と訳すのが一般的だろう。

この日から数日間、寛二郎と琴音は五色の小石荘に滞在する。その間に天人が、もし新生活をアメリカで始めたいのなら、次に自分が渡米するさいに連れていくと申し出た。若いふたりは、お願いしますと返辞をした。天人のおかげで惣一は撃退されたものの、いつまた琴音に執着《しゅうちゃく》するか知れたものではないので、その魔手《ましゅ》の届かない異国の地のほうが、かえって安心できるとも、ふたりは思ったのだ。

ようやく仕合わせを得た男女は、八月二十三日に大磯を発《た》ち、横浜へ向かった。吉田家の横浜の本宅には使っていない部屋が幾つもあるので、天人に呼ばれる日までそこで暮らせばよい、と茂が勧めたのだ。

この二日前、東京では松本順の友でもあった十二代目守田勘弥が没している。

茂は、陸奥宗光のことがいよいよ案じられた。

（もう一度、西長院に詣でよう）

寛二郎と琴音が五色の小石荘をあとにした翌日の明治三十年八月二十四日、茂は身代わり地蔵に掌《て》を合わせた。幾度も合わせた。

暑さの止《や》む処暑《しょしょ》である。

秋風をなぜか不吉に感じる。陸奥の最愛の妻・亮子《りょうこ》の悲泣《ひきゅう》のように思えて、茂はクラクラするほど強く頭《かぶり》を振っていた。

その日、陸奥宗光が逝った。

〈第十六話　了〉

推し本、語ります 5

ポテトチップスに秘められた「熱いドラマ」を体感せよ！

カモシダせぶん

昨年は個人的に「良いノンフィクションに出会ったな」と思う年でした。その中でもイチオシなのが、今回紹介する『ポテトチップスと日本人』！　普段新書を読まない人、小説が好きな人にこそ読んでほしい作品です。

本書はタイトル通り、戦後にアメリカから伝わった「ポテトチップス」が、如何《いか》にして日本人に馴染み、独自の発展を遂げて国民的お菓子になっていったかを綴《つづ》った書籍です。これがもう、熱いドラマの連続でとにかく面白い。

まず、湖池屋《こいけや》とカルビーの二社を軸に話が展開していくので、イメージがしやすいんです。日本で最初にポテトチップス量産化を成功させ、「のり塩」で広く認知を得た湖池屋、後発ながら低価格とキャッチーなＣＭ戦略で追い上げた巨人・カルビー……両社の対比が、まるで少年漫画のライバル同士みたいに感じられて、業界の趨勢《すうせい》をスッと理解できる。シェアをカルビーに抜かれた湖池屋が、カルビーにない強みを模索《もさく》し、それまで〝お菓子業界のタブー〟だった「辛いお菓子」に切り込んで誕生したのが「カラムーチョ」で、そこから湖池屋主導の激辛ブームが始まるとか……この二社の切磋琢磨《せっさたくま》の企業努力が呼び水となって、ポテトチップスは日本独自の発展をしていくんです。当時の湖池屋・二代目が小池孝《こいけたかし》さん、カルビーの創業者が松尾孝《まつおたかし》さんで、日本のポテトチップスを牽引《けんいん》したお二人の名前が同じ「孝」なんていう、マジで漫画みたいなエピソードもあります（笑）。

元々僕はゲームのオープニングなどでキャラクターがオールスターで登場するシーンにグッとくるタイプで、『ポテトチップスと日本人』も読んでいて同じ感動がありました。ここで来るのかカラムーチョ……！　この状況を打開してくれるのかピザポテト！　みたいにお馴染《なじ》みのお菓子たちが活躍してくれる感覚（笑）。スーパーに行くのも楽しくなり、最近は「最初の味……」と思いつつ、湖池屋の「のり塩」に手が伸びることが増えています。

お菓子売り場の解像度が上がる一冊、このドラマをぜひ感じて欲しいです！

『ポテトチップスと日本人
人生に寄り添う国民食の誕生』
稲田豊史 著／朝日新書／
定価:1,045円
＊定価は税10％です。

カモシダせぶん　芸人＆現役書店員。「アメトーーク！」の読書芸人回や、「ヒルナンデス」等メディアに多数出演し、話題を集める。ビブリオバトル普及委員会会員。

わたしのちょっと苦手なもの 8

お酒味のなにか

原田ひ香（作家）

酒についての小説やエッセイを書いているし、最近はそう多い量ではないが、ほぼ毎日のように酒を飲んでいるというのに、好き嫌いがない私が唯一、口にしたくないのが、「お酒味のなにか」である。

ウイスキーボンボンのようなダイレクトにお酒が口の中に入ってくるものも嫌だし、ブリオッシュに酒を染み込ませたサバランとかババのようなケーキは考えただけでもぞっとする。酒入りのトリュフも苦手だ。

それから料理でも、酒が入っているものは好きじゃない。

特に絶対に嫌なのが、しゃぶしゃぶをする時に出汁の半分を日本酒にするようなレシピ。確か、好きな作家さんがエッセイで書いていて、何度かトライしてみたが、どうしても口に合わない。他にも、例えば、あさりの酒蒸《さかむ》しなどで、あまりにもアルコール分が多く残っているのはダメだ。

食事と一緒に酒を飲むのはまったく気にならないどころか、酒がないと寂しくてたまらないのに、なぜか、それが甘いものや料理の中に入っていると嫌いな味になってしまう。

どうしてこんなことが起きるのか、何度か考えたことがあるのだが、たぶん、酒の中にわずかに苦味のようなものがあって、幼い頃、食べた時「いやだ、まずい」と思ったのが恐怖心として残っているのではないか、と思う。

とはいえ、最近、ほんの少しだけ変化があった。

実は、六年以上、全国漬物コンテストの審査員をしていて、その時に、当然必ず、奈良漬け《ならづ》が入ってくる。もちろん、あまり好きではなくても公平に審査してきたつもりだ。

そうして、イヤイヤでも食べているうちに、ある時、「これは美味しい」と思う奈良漬けが出てきたのだった。それが「みょうがの奈良漬け」で、これは自然に、「日本酒に合わせてみたいな」と思い、選考でも強く推した。

いや、それだけでなく、実を言うと、今年は店に問い合わせをして、取り寄せまでしてしまった。今は冷蔵庫に常備《じょうび》している。

やはり、少しずつでも食べていれば慣れてくるのかもしれない。

この分なら、頑張ればブランデーたっぷりのサバランも食べられるようになるかも……いや、たぶん、無理だろうな。

はらだ　ひか　1970年生まれ。2007年「はじまらないティータイム」ですばる文学賞を受賞。著書に「ランチ酒」「三人屋」シリーズ、『三千円の使いかた』『財布は踊る』『古本食堂』『図書館のお夜食』『喫茶おじさん』など多数。

文蔵

◆筆者紹介◆

3月号

あさのあつこ

54年岡山県生まれ。「バッテリー」シリーズで数々の賞を受賞。著書に、「おいち不思議がたり」「The MANZAI」「NO.6」「弥勒の月」シリーズ、などがある。

瀧羽麻子《たきわ あさこ》

81年兵庫県生まれ。2007年『うさぎパン』でダ・ヴィンチ文学賞大賞を受賞し、デビュー。著書に『ありえないほどうるさいオルゴール店』『博士の長靴』など。

寺地はるな《てらち　はるな》
77年佐賀県生まれ。14年『ビオレタ』で第4回ポプラ社小説新人賞を受賞。著書に『川のほとりに立つ者は』『水を縫う』『ガラスの海を渡る舟』など。

松嶋智左《まつしま　ちさ》
61年大阪府生まれ。元警察官、女性白バイ隊員。２００５年に北日本文学賞、06年に織田作之助賞を受賞。著書に『女副署長』『三星京香の殺人捜査』など。

宮本昌孝《みやもと　まさたか》
55年静岡県生まれ。『天離り果つる国』で、『この時代小説がすごい！　22年版』の単行本部門第一位を獲得。著書に、『剣豪将軍義輝』『ふたり道三』『風魔』など。

村山早紀《むらやま　さき》
63年長崎県生まれ。『ちいさいえりちゃん』で毎日童話新人賞最優秀賞、椋鳩十児童文学賞を受賞。代表作に「コンビニたそがれ堂」「桜風堂ものがたり」シリーズなど。

文蔵◆バックナンバー紹介

Vol.195 2022年11月
〈特集〉**図書館、博物館小説で文化を味わう**
●新連載小説 **福澤徹三**「恐室 冥國大學オカルト研究会活動日誌」(～2023・7・8)

Vol.196 2022年12月
〈特集〉**山口恵以子デビュー十五年の軌跡**
●新連載小説 **小路幸也**「すべての神様の十月㈢」(～2023・11)

Vol.197 2023年1・2月
〈ブックガイド〉**新世代のミステリー作家に大注目**

Vol.198 2023年3月
〈特集〉**「建物」が生み出す物語**
●新連載小説 **西澤保彦**「彼女は逃げ切れなかった」(～2024・1・2)
●新連載エッセイ わたしのちょっと苦手なもの

Vol.199 2023年4月
〈特集〉**二刀流作家の小説が面白い**

Vol.200 2023年5月
〈特集〉**あさのあつこ その作品世界の魅力**

Vol.201 2023年6月
〈特集〉**時代を映す「青春小説」**
●新連載小説 **瀧羽麻子**「さよなら校長先生」

Vol.202 2023年7・8月
〈特集〉**ジョブチェンジ小説で未来を拓け**
●新連載小説 **村山早紀**「桜風堂夢ものがたり2」

Vol.203 2023年9月
〈特集〉**竹宮ゆゆこ作品の魅力に迫る**
●新連載小説 **あさのあつこ**「おいち不思議がたり」 **寺地はるな**「世界はきみが思うより」

Vol.204 2023年10月
〈特集〉**「スパイ・国際謀略」小説**
●新連載インタビュー 推し本、語ります

Vol.205 2023年11月
〈特集〉**小説で考える「ルッキズム」**

Vol.206 2023年12月
〈特集〉**作家・今村翔吾の軌跡**

Vol.207 2024年1・2月
〈特集〉**小説で読み解く紫式部と「源氏物語」**

※創刊号(2005年10月)～Vol.172(2022年9月)は品切です。

目次は文蔵HP[**https://www.php.co.jp/bunzo/**]でご覧いただけます。

ＰＨＰ文芸文庫　文蔵 2024. 3

2024年３月５日　発行

編者　「文蔵」編集部
発行者　永田貴之
発行所　株式会社ＰＨＰ研究所
東京本部　〒135-8137　江東区豊洲5-6-52
文化事業部　☎03-3520-9620(編集)
普及部　☎03-3520-9630(販売)
京都本部　〒601-8411　京都市南区西九条北ノ内町11
PHP INTERFACE　https://www.php.co.jp/
制作協力
組版　朝日メディアインターナショナル株式会社
印刷所
製本所　図書印刷株式会社

ISBN978-4-569-90378-1